Joseph Kardinal Ratzinger

Werte in Zeiten des Umbruchs

HERDER spektrum

Band 5592

Das Buch

Was hält unsere von wirtschaftlichen, politischen, sozialen und religiösen Konflikten geschüttelte Welt noch zusammen? Diese Frage beunruhigt viele. Orientierung in der rasant sich vollziehenden Globalisierung wird immer fraglicher und unsicherer. Gewissheiten, die bisher tragend waren, zerbrechen. Welche Werte gelten noch in Zeiten radikalen Umbruchs – und welche brauchen wir im Blick auf eine friedliche und menschenwürdige Zukunft? Welche Bedeutung haben religiöse und ethische Maßstäbe für Technik und Wissenschaft? Wie sind Religion und Vernunft aus ihrer jeweiligen Einseitigkeiten befreien? Wie können wir ihr gegenseitiges Verhältnis angesichts aktueller Bedrohungen neu und positiv bestimmen? Ratlosigkeit greift um sich. Grundsätzliche Antworten sind gefragt.

Joseph Kardinal Ratzinger, Präfekt der Römischen Glaubenskongregation, ist überzeugt: Kein Weltfrieden ohne Neubestimmung des Verhältnisses zwischen Vernunft und Glauben. Er hat auf dem Hintergrund dieser Überzeugung in seiner Diskussion mit Jürgen Habermas, aber auch in aufsehenerregenden Reden vor Wirtschaftsführern und Politikern international viel beachtete Beiträge zu Grundfragen der Zeit formuliert. Sie sind hier – verbunden mit drei grundlegenden Texten zum Thema „Wahrheit, Werte, Macht" – zusammengefasst. Sie zeigen die Linie seines Denkens zum Thema „Moral und Politik" angesichts der geistigen Herausforderung. Ein wichtiger intellektueller Beitrag zur gegenwärtigen Debatte über die Zukunft unserer Gesellschaften und zur immer lauter werdenden Frage nach der „Seele" Europas sowie zur Zukunft der Humanität in einer immer mehr von bloß wirtschaftlichen und politischen Machtinteressen bestimmten Welt.

Der Autor

Joseph Kardinal Ratzinger, geb. 1927 in Marktl am Inn, Dr. theol., Dr. h.c. mult., war Professor für Dogmatik und Fundamentaltheologie in Bonn, Münster, Tübingen und Regensburg, Konzilstheologe; 1977–1982 Erzbischof von München und Freising, 1977 Kardinalsernennung; seit 1981 Präfekt der Kongregation für die Glaubenslehre. Präsident der Päpstlichen Bibelkommission und der Internationalen Theologenkommission. Seit 2002 Dekan des Kardinalskollegiums. Zahlreiche Mitgliedschaften und Ehrenmitgliedschaften in vatikanischen und internationalen Institutionen.

Joseph Kardinal Ratzinger

Werte in Zeiten des Umbruchs

Die Herausforderungen der Zukunft bestehen

HERDER

FREIBURG · BASEL · WIEN

Originalausgabe

Alle Rechte vorbehalten – Printed in Germany
© Verlag Herder Freiburg im Breisgau 2005
www.herder.de
Satz: Rudolf Kempf, Emmendingen
Herstellung: fgb · freiburger graphische betriebe 2005
www.fgb.de
Umschlaggestaltung und Konzeption:
R·M·E München / Roland Eschlbeck, Liana Tuchel
Umschlagfoto: Max Rossi / CCP / ROPI
ISBN 3-451-05592-9

Inhalt

Vorwort

Europa ist wieder zu einem der großen Themen des Disputs um unsere Gegenwart und Zukunft geworden. Das Ringen um eine europäische Verfassung, die Ost-Erweiterung der Europäischen Gemeinschaft, die Frage nach der Aufnahme der Türkei als eines Staates, der sich in der Geschichte aufgrund seiner anderen kulturellen und religiösen Grundlage als Gegenpart des christlichen Europa wusste – all das stellt uns vor grundlegende Fragen: Auf welchen Fundamenten leben wir eigentlich? Was trägt unsere Gesellschaften und hält sie zusammen? Wie finden sie die moralischen Grundlagen und dann auch die motivierenden Kräfte für moralisches Handeln, ohne die ein Staat nicht bestehen kann? Wie fügen wir uns selbst und unser Europa in die Weltsituation ein – in die Spannung von Nord und Süd, in die Spannung zwischen den großen Kulturen der Menschheit, in die Spannung zwischen technisch-säkularer Zivilisation und den letzten Fragen, die von ihr nicht beantwortet werden können?

In den Jahren seit dem Fall der Mauer, durch den diese Fragen eine neue Gestalt erhalten haben, bin ich immer wieder zu Vorträgen und Gesprächen über diese Themen eingeladen worden. Das vorliegende Buch versucht, die einzelnen, von ihrer Thematik her recht unterschiedlichen Beiträge, die so entstanden sind, zu einem Mosaik zusammenzufügen, das Wegweisungen für die einzuschlagende Richtung zeigen kann. Vieles ist nur Skizze, mehr Frage als Antwort. Aber vielleicht kann gerade der unfertige Charakter dieser Versuche dazu helfen, das Denken voranzubringen. Herrn Dr. Rudolf Walter vom Verlag Herder danke ich für die Anregung zu dieser Sammlung verstreuter Texte, die in der vorliegenden Ausgabe durch den Verlag geordnet und zum Ganzen gefügt wurden.

Rom, 15. Januar 2005   Joseph Card. Ratzinger

Erstes Kapitel

Wonach handeln? – Politik und Moral

I
Verändern oder erhalten?

Politische Visionen und Praxis
der Politik

Für Politiker aller Parteien ist es heute selbstverständlich, dass sie Veränderungen – natürlich zum Besseren hin – versprechen. Während der ehedem mythische Glanz des Wortes Revolution gegenwärtig verblasst ist, werden um so entschiedener weitgreifende Reformen verlangt und verheißen. Daraus muss man schließen, dass in der modernen Gesellschaft ein tiefgehendes Gefühl des Unbefriedigtseins herrscht und dies gerade dort, wo Wohlstand und Freiheit eine bisher nicht gekannte Höhe erreicht haben. Die Welt wird als schwer erträglich empfunden, sie muss besser werden, und dies ins Werk zu setzen, erscheint als die Aufgabe der Politik. Da also nach allgemeiner Auffassung Weltverbesserung, das Heraufführen einer neuen Welt den wesentlichen Auftrag der Politik bildet, kann man auch verstehen, warum das Wort „konservativ" anrüchig geworden ist und kaum jemand leichthin als konservativ angesehen werden will: Es geht eben, so scheint es, nicht darum, den gegenwärtigen Zustand zu bewahren, sondern darum, ihn zu überwinden.

1. Zwei Visionen des Auftrags der Politik:
die Welt verändern oder ihre Ordnung erhalten

Mit dieser Grundorientierung steht die moderne Vorstellung von Politik, ja, vom Leben in dieser Welt überhaupt in deutlichem Gegensatz zu den Anschauungen früherer Perioden, für die gerade das Erhalten und das Verteidigen des Bestehenden gegenüber dessen Bedrohung als die große Aufgabe politischen Handelns galt. Hier mag eine kleine sprachliche Beobachtung erhellend sein.

Als das Christentum in der römischen Welt nach einem Wort suchte, mit dem man bündig und für die Menschen verständlich ausdrücken konnte, was Jesus Christus für sie bedeutete, stieß man auf das Wort „Conservator mundi", mit dem in Rom die wesentliche Aufgabe und der höchste Dienst umschrieben wurde, der in der Menschheit zu leisten war. Aber gerade diesen Titel konnten und wollten die Christen nicht auf ihren Erlöser übertragen; gerade damit konnten sie das Wort Messias – Christus, den Dienst des Retters der Welt nicht übersetzen. Vom Gesichtspunkt des Römischen Reiches her musste es in der Tat als die wichtigste Aufgabe angesehen werden, das Ordnungsgefüge des Reiches gegenüber all seinen Bedrohungen von innen und außen zu erhalten, weil dieses Reich einen Raum des Friedens und des Rechts verkörperte, in dem Menschen in Sicherheit und Würde leben konnten. Tatsächlich haben die Christen – auch schon der apostolischen Generation – diese Garantie von Recht und Frieden zu schätzen gewusst, die das Römische Reich gewährte. Den Kirchenvätern lag angesichts des drohenden Chaos, das sich mit der Völkerwanderung ankündigte, durchaus am Erhalt des Reiches, seiner Rechtsgarantien, seiner Friedensordnung.

Dennoch konnten die Christen nicht einfach wollen, dass alles bleibe, wie es war; die Apokalypse, die freilich mit ihrer Vorstellung vom Reich am Rande des Neuen Testaments steht, zeigte doch für alle deutlich auf, dass es auch das gab, was nicht erhalten werden durfte, sondern geändert werden musste. Dass Christus nicht als Conservator, sondern als Salvator bezeichnet wurde, hatte zwar durchaus keinen politisch-revolutionären Inhalt, zeigte aber doch die Grenzen des bloßen Bewahrens an und wies auf eine Dimension menschlicher Existenz hin, die über die Friedens- und Ordnungsfunktionen der Politik hinausreicht.

Versuchen wir, diese Momentaufnahme einer Weise des Daseinsverständnisses des Auftrags der Politik etwas mehr ins Grundsätzliche zu erweitern. Hinter der Alternative, die sich uns im Gegenüber der Titel Conservator und Salvator bisher noch eher undeutlich gezeigt hatte, lassen sich tatsächlich zwei unterschiedene Visionen dessen erkennen, was politisches und ethisches Handeln bewirken soll und kann, wobei nicht nur Politik und Moral, sondern auch Politik, Religion und Moral auf je verschiedene Weise ineinander verschränkt erscheinen.

Da gibt es einerseits die statische, auf Erhalten ausgerichtete Vision, die vielleicht am deutlichsten im chinesischen Universismus erscheint: Die Ordnung des Himmels, die ewig gleichbleibende, gibt auch dem Handeln auf Erden seine Maße vor. Es ist das *Tao*, das Gesetz des Seins und der Wirklichkeit, das die Menschen erkennen und im Handeln aufnehmen müssen. Das Tao ist ebenso kosmisches wie sittliches Gesetz. Es verbürgt die Harmonie von Himmel und Erde und so auch die Harmonie des politischen und gesellschaftlichen Lebens. Unordnung, Störung des Friedens, Chaos entsteht, wo der Mensch sich gegen das Tao wendet, an ihm vorbei oder gegen es lebt. Dann muss gegen solche Störungen und Zerstörungen des gemeinschaftlichen Lebens wieder das Tao aufgerichtet und so die Welt wieder lebbar gemacht werden. Alles kommt darauf an, die beständige Ordnung gegenwärtig zu halten oder wieder zu ihr zurückzukehren, wo sie verlassen war.

Ähnliches ist im indischen Begriff des *Dharma* ausgesagt, das ebenso kosmische wie ethische und soziale Ordnung bedeutet, der der Mensch sich einfügen muss, damit das Leben recht werde. Der Buddhismus hat diese zugleich kosmische, politische und religiöse Vision relativiert, indem er die ganze Welt als einen Kreislauf des Leidens erklärte; das Heil ist nicht im Kosmos, sondern im Heraustreten aus ihm zu suchen. Aber er hat keine neue politische Vision geschaffen, insofern das Heilsstreben nicht-weltlich – aufs Nirwana gerichtet – gefasst ist; für die Welt als solche werden neue Modelle nicht vorgeschlagen.

Anders der Glaube Israels. Er kennt zwar mit dem noachitischen Bund auch so etwas wie eine kosmische Ordnung und die Verheißung ihrer Stabilität. Aber für den Glauben Israels selbst wird die Orientierung auf Zukunft hin immer deutlicher. Nicht das Immerwährende, das immer gleiche Heute, sondern das Morgen, die noch ausstehende Zukunft erscheint als der Raum des Heils. Das wohl im Lauf des zweiten Jahrhunderts vor Christus entstandene Danielbuch bietet zwei große geschichtstheologische Visionen, die für die weitere Entwicklung des politischen und des religiösen Denkens von größter Bedeutung wurden. Da findet sich im zweiten Kapitel die Vision von dem Standbild, das Teile aus Gold, Teile aus Silber, Teile aus Eisen und schließlich solche aus Ton umfasst. Diese vier Elemente zeigen eine Abfolge von vier Reichen an. Sie alle werden schließlich zermalmt durch einen Stein, der sich ohne Zutun von Menschenhand von einem Berg löst und das Ganze so zerstäubt, dass der Wind die Reste davonträgt und keine Spur davon übrigbleibt. Der Stein aber wird zum großen Berg und erfüllt die ganze Erde – Sinnbild eines Reiches, das der Gott des Himmels und der Erde errichten wird und das in Ewigkeit nicht untergeht (2,44). Im siebten Kapitel desselben Buches erscheint in einem vielleicht noch einprägsameren Bild die Abfolge der Reiche als das Nacheinander von vier Tieren, über die schließlich Gott – als „Hochbetagter" dargestellt – Gericht hält. Die vier Tiere – die Großreiche der Weltgeschichte – waren aus dem Meer aufgestiegen, das als Sinnbild für die Macht der Bedrohung des Lebens durch den Tod und seine Gewalten steht; nach dem Gericht aber kommt vom Himmel her der Mensch („Menschensohn"), und ihm werden alle Völker, Nationen und Sprachen übergeben zu einem Reich, das ewig, unvergänglich ist und nie untergeht.

Während in den Konzeptionen des Tao und des Dharma die ewigen Ordnungen des Kosmos eine Rolle spielen, die Idee „Geschichte" also gar nicht erscheint, ist hier nun „Geschichte" als eine eigene, nicht auf den Kosmos reduzierbare Realität gefasst, und mit dieser vorher gar nicht in den Blick gekommenen anthropologischen und dynamischen Realität eine ganz andere Vision eröffnet. Es ist offenkundig, dass eine solche Vorstellung von einer geschichtlichen Abfolge von Reichen, die gefräßige Tiere in immer schrecklicher werdenden Formen sind, sich nicht in einem der Herrschaftsvölker bilden konnte, sondern als ihren soziologischen Träger ein Volk voraussetzt, das sich selbst von der Gefräßigkeit dieser Tiere bedroht weiß und auch eine Abfolge von Mächten erlebt hat, die ihm das Existenzrecht streitig machen. Es ist die Vision von Unterdrückten, die Ausschau halten nach einer Wende der Geschichte und nicht an der Erhaltung des Bestehenden interessiert sein können. In der danielischen Vision kommt die Wende der Geschichte nicht durch politisches oder militärisches Handeln zustande – dafür fehlten einfach die nötigen Kräfte. Sie tritt ein durch ein Eingreifen Gottes allein: Der Stein, der die Reiche zerstört, löst sich „ohne Zutun von Menschenhand" von einem Berg (2,34). Die Kirchenväter sahen darin eine geheimnisvolle Vorausankündigung der Geburt Jesu aus der Jungfrau, allein durch Gottes Kraft; in Christus sehen sie den Stein, der schließlich selbst zum Berg wird und die Erde erfüllt.

Neu gegenüber den kosmischen Visionen, in denen einfach das Tao oder das Dharma selbst als die Macht des Göttlichen, als das „Göttliche" dastehen, ist also nicht nur das Erscheinen der nicht auf den Kosmos reduzierbaren Realität Geschichte, sondern dies Dritte und zugleich Erste: ein handelnder Gott, auf den sich die Hoffnung der Unterdrückten richtet. Aber schon bei den Makkabäern, die ungefähr gleichzeitig mit den Danielvisionen anzusetzen sind, muss auch der Mensch durch politisches und militärisches Handeln selbst die Sache Gottes in die Hand nehmen; in Teilen der Qumran-Literatur wird die Verschmelzung von theologischer Hoffnung und eigenem menschlichen Handeln noch deutlicher. Endlich bedeutet der Kampf von Bar Kochba eine klare Politisierung des Messianismus: Gott bedient sich für die Wende eines „Messias", der im Auftrag und mit der Vollmacht Gottes in aktivem politischem und militärischem Handeln das Neue herbeiführt. Das Sacrum imperium der Christen hat sowohl in seiner byzantinischen wie in seiner lateinischen Variante solche Vorstellungen nicht aufnehmen können und wollen, vielmehr wieder auf die Erhaltung der nun christlich begründeten Weltordnung gesetzt, freilich mit der Vision, dass man im sechsten Zeitalter, dem Greisenalter der Geschichte stehe und dass dann die andere Welt kommen werde, die als Gottes achter Tag schon neben der Geschichte herlief und sie dann einmal definitiv ablösen werde.

2. Die Wiedergeburt der apokalyptischen Strömung im 19. Jahrhundert

Die apokalyptische Strömung – das Nein zu den beherrschenden Kräften der Welt und die Hoffnung auf Heilung durch Umsturz – ist freilich nie ganz verschwunden. Sie tritt nun – unabhängig von der Religion oder gegen sie gewendet – seit dem 18. Jahrhundert neu hervor. Ihre radikale Form begegnet uns im Marxismus, der sich insoweit an Daniel anschließt, als er die ganze bisherige Geschichte negativ, als Unterdrückungsgeschichte wertet und dabei als soziologischen Träger die Klasse der Ausgebeuteten, der zunächst weithin rechtlosen Industriearbeiter und der abhängigen Landarbeiter voraussetzt. In einem merkwürdigen Umschlag, über dessen Gründe noch nicht genug nachgedacht wurde, ist er dann aber immer mehr zur Religion der Intellektuellen geworden, während die Arbeiter durch Reformen zu Rechten gelangt waren, durch die für sie die Revolution – der große Ausbruch aus der gegenwärtigen Geschichtsform – überflüssig wurde. Für sie war der Stein nicht mehr nötig, der die Reiche zerstörte; sie setzten eher auf das andere danielische Bild von dem Löwen, der wie ein Mensch auf zwei Füße gestellt und dem ein menschliches Herz gegeben wurde (7,4). Die Reform tritt an die Stelle der Revolution: Wenn der Löwe ein menschliches Herz bekommen und seinen Tiercharakter abgelegt hat, kann man mit ihm leben. In der Welt der – meist wohlhabenden Intellektuellen – ist nur um so mehr das Nein zur Reform und eine Art Divinisierung der Revolution gewachsen. Man verlangt nach dem völlig Neuen; es gibt einen merkwürdigen Überdruss an der Wirklichkeit, wie sie ist, über dessen Wurzeln noch nachzudenken wäre.

Gewiss haben nach allen Enttäuschungen, die der Zusammenbruch des „realen Sozialismus" inzwischen hervorgerufen hat, inzwischen Positivismus und Relativismus die Oberhand gewonnen; an die Stelle der utopistischen Träume und ihrer Ideale ist der Pragmatismus getreten, der das Maximum an jetzt möglicher Befriedigung aus der Welt herausholen will. Dennoch ist es nicht überflüssig, noch einmal die Physiognomie des säkularen Messianismus zu bedenken, wie er im Marxismus erschienen ist, weil er untergründig doch noch immer in den Seelen vieler herumgeistert und in neuen Formen wieder hervortreten kann.

Die Grundlage dieser neuen Geschichtskonzeption bildet zum einen die auf die Geschichte übertragene Evolutionslehre, zum anderen – damit verbunden – der Fortschrittsglaube in der Version, die ihm Hegel gegeben hatte. Die Anknüpfung an die Evolutionslehre bedeutet, dass die Geschichte biologistisch, ja, materialistisch und deterministisch gesehen wird: Sie hat ihre Gesetze und ihren Gang, der bekämpft, aber nicht letztlich verhindert werden kann. Die Evolution ist an die Stelle Gottes getreten. „Gott" heißt nun: Entwicklung, Fortschritt. Aber dieser Fortschritt – hier tritt nun Hegel herein – vollzieht sich in dialektischen Umschlägen; auch er ist letztlich deterministisch verstanden. Der letzte dialektische Schritt ist der Sprung von der Geschichte der Unterdrückung in die endgültige Heilsgeschichte – der Schritt von den Tieren zum Menschensohn, könnte man mit Daniel sagen.

Das Reich des Menschensohnes heißt nun „klassenlose Gesellschaft". Obwohl die dialektischen Sprünge einerseits wie Naturereignisse notwendig eintreten, geschehen sie doch konkret auf politischem Weg. Die politische Entsprechung zum dialektischen Sprung ist die Revolution. Sie ist der Gegenbegriff zur Reform, die man ablehnen muss, weil sie ja den Anschein erweckt, als sei dem Tier ein menschliches Herz verliehen und man brauche es nicht mehr zu bekämpfen. Reformen zerstören den revolutionären Elan; darum stehen sie gegen die innere Logik der Geschichte, sind Involution statt Evolution, also letztlich Feinde des Fortschritts. Revolution und Utopie – der Ausgriff nach der vollkommenen Welt – gehören zusammen: Sie sind die konkrete Gestalt dieses neuen, politischen und säkularen Messianismus. Der Götze Zukunft frisst die Gegenwart; der Götze Revolution ist der Gegenspieler rationalen politischen Handelns auf wirkliche Verbesserung der Welt hin. Die theologische Vision Daniels, der Apokalyptik überhaupt, ist ins Säkulare gewendet, aber zugleich mythisiert. Denn die beiden tragenden politischen Ideen – Revolution und Utopie – sind, in ihrer Verbindung mit Evolution und Dialektik, ein durchaus antirationaler Mythos: Entmythisierung ist dringend nötig, damit die Politik ihr Geschäft wahrhaft rational betreiben kann.

3. Die Position der Schriften des Neuen Testaments

Wo steht nun aber, von Daniel und von den politischem Messianismen aus gesehen, der christliche Glaube? Was ist seine Vision von der Geschichte und für unser geschichtliches Handeln? Bevor ich versuchen kann, ein zusammenfassendes Urteil zu formulieren, müssen wir einen Blick auf die wichtigsten Texte des Neuen Testaments werfen.

Man kann da ohne große Analysen leicht zwei Textgruppen unterscheiden: Auf der einen Seite stehen die Texte der Evangelien und der Apostelgeschichte, die höchstens von ferne Zusammenhänge mit der Apokalyptik erkennen lassen; auf der anderen Seite die Offenbarung des Johannes, die – wie schon der Name sagt – dem Strom der Apokalyptik zugehört. Es ist bekannt, dass die Texte der Apostelbriefe – in Übereinstimmung mit der in den Evangelien angedeuteten Sicht – vom Pathos der Revolution schlechterdings nicht berührt sind, ja, ihm klar entgegenstehen. Die beiden Grundtexte Röm 13,1-6 und 1 Petr 2,13-17 sind sehr eindeutig und von je her allen Revolutionären ein Dorn im Auge. Röm 13 verlangt, dass „jedermann" (wörtlich: jede Seele) sich den vorgesetzten Obrigkeiten unterwerfe, denn es gebe keine Obrigkeit außer von Gott her. Widersetzlichkeit gegenüber der Obrigkeit sei daher Widersetzlichkeit der Anordnung Gottes gegenüber. Unterordnen müsse man sich also nicht nur des Zwanges wegen, sondern vom Gewissen her. Ganz ähnlich verlangt der erste Petrusbrief Unterordnung unter die rechtmäßigen Obrigkeiten „um des Herrn willen": „Denn so ist es der Wille Gottes, dass ihr durch gute Taten den Unverstand der törichten Menschen zum Schweigen bringt, als freie Menschen, doch nicht als solche, die in der Freiheit einen Deckmantel sehen zum Bösen..." Weder Paulus noch Petrus drücken hier eine unkritische Verherrlichung des römischen Staates aus. So sehr sie auf dem göttlichen Ursprung der staatlichen Rechtsordnungen bestehen, sind sie weit von einer Divinisierung des Staates entfernt. Gerade weil sie die Grenzen des Staats sehen, der nicht Gott ist und sich nicht als Gott gerieren darf, erkennen sie seine Ordnungsfunktion und seine sittliche Qualität an.

Sie stehen damit in guter biblischer Tradition – denken wir an Jeremia, der die verbannten Israeliten zur Loyalität gegenüber dem Unterdrückungsstaat Babylon auffordert, insofern dieser Staat Recht und Frieden garantiert und damit auch das relative Wohlergehen Israels, das die Bedingung seiner Wiederherstellung als Volk ist. Denken wir an Deutero-Jesaja, der sich nicht scheut, Kyros als den Gesalbten Gottes zu bezeichnen: Der König der Perser, der den Gott Israels nicht kennt und das Volk aus rein pragmatisch-politischen Erwägungen in die Heimat entlässt, handelt doch, weil er sich um die Herstellung des Rechts müht, als Werkzeug Gottes. Auf dieser Linie bewegt sich die Antwort Jesu an die Pharisäer und Herodianer über die Steuerfrage: Was des Kaisers ist, ist dem Kaiser zu geben (Mk 12,13-17). Insofern der römische Kaiser Garant des Rechts ist, hat er Anspruch auf Gehorsam; freilich wird gleichzeitig der Bereich der Gehorsamspflicht eingegrenzt: Es gibt das, was des Kaisers ist und das, was Gottes ist. Wo der Kaiser sich zum Gott erhebt, hat er seine Grenzen überschritten, und Gehorsam würde dann zur Verleugnung Gottes. Schließlich gehört hierher auch Jesu Antwort an Pilatus, in der der Herr gerade dem ungerechten Richter gegenüber doch anerkennt, dass die Gewalt zur Ausübung des Richteramtes, des Dienstes am Recht, nur von oben gegeben werden kann (Joh 19,11).

Überblickt man diese Zusammenhänge, so wird eine sehr nüchterne Sicht des Staates deutlich: Es kommt nicht auf die persönliche Gläubigkeit oder die subjektiven guten Intentionen der Staatsorgane an. Sofern sie Frieden und Recht garantieren, entsprechen sie einer göttlichen Verfügung; in heutiger Terminologie würden wir sagen: Sie stellen eine Schöpfungsordnung dar. Gerade in seiner Profanität ist der Staat zu achten; er ist vom Wesen des Menschen als animal sociale et politicum her notwendig, in diesem menschlichen Wesen und damit schöpfungsmäßig begründet. In alledem ist zugleich eine Begrenzung des Staates enthalten: Er hat seinen Bereich, den er nicht überschreiten darf; er muss das höhere Recht Gottes respektieren. Die Verweigerung der Anbetung des Kaisers und überhaupt die Verweigerung des Staatskultes ist im Grunde einfach die Ablehnung des totalitären Staates.

Im ersten Petrusbrief kommt diese Unterscheidungslinie sehr deutlich zum Vorschein, wenn der Apostel sagt: „Keiner von euch soll leiden als Mörder oder Dieb oder Übeltäter oder als Ehebrecher. Leidet er dagegen als Christ, so schäme er sich nicht, sondern verherrliche Gott in diesem Namen" (4,15f). Der Christ ist an die Rechtsordnung des Staates als eine sittliche Ordnung gebunden. Etwas anderes ist es, wenn er „als Christ" leidet: Wo der Staat das Christsein als solches unter Strafe stellt, waltet er nicht mehr als Wahrer, sondern als Zerstörer des Rechts. Dann ist es keine Schande, sondern eine Ehre, bestraft zu werden. Wer so leidet, der steht gerade im Leiden in der Nachfolge Christi: Der gekreuzigte Christus zeigt die Grenze staatlicher Gewalt an und zeigt, wo seine Rechte enden und der Widerstand im Leiden zur Notwendigkeit wird. Der Glaube des Neuen Testaments kennt nicht den Revolutionär, sondern den Martyrer: Der Martyrer anerkennt die Autorität des Staates, er kennt aber auch seine Grenzen. Sein Widerstand besteht darin, dass er alles tut, was dem Recht und der geordneten Gemeinschaft dient, auch wenn es von glaubensfremden oder –feindlichen Autoritäten kommt, dass er aber da nicht gehorcht, wo ihm geboten wird, das Böse zu tun, das heißt sich dem Willen Gottes entgegenzusetzen. Sein Widerstand ist nicht der Widerstand aktiver Gewalt, sondern der Widerstand dessen, der für Gottes Willen zu leiden bereit ist: Der Widerstandskämpfer, der mit der Waffe in der Hand stirbt, ist kein Martyrer im Sinn des Neuen Testaments.

Dieselbe Linie zeigt sich auch, wenn wir auf weitere Texte des Neuen Testaments hinschauen, die zum Problem der christlichen Haltung zum Staat Stellung nehmen. Tit 3,1 sagt: „Ermahne sie, den obrigkeitlichen Gewalten untertan und gehorsam zu sein, bereit zu jedem guten Werk…" Sehr bezeichnend ist 2 Thess 3,10-12, wo der Apostel sich gegen diejenigen wendet, die – wohl mit dem Vorwand der christlichen Erwartung der Wiederkunft des Herrn –

nicht arbeiten und nichts Nützliches tun wollen. Sie werden dem-gegenüber zu ruhiger Arbeit ermahnt, denn „wer nicht arbeiten will, der soll auch nicht essen". Die schwärmerische Eschatologie wird höchst nüchtern in die Schranken gewiesen. Ein wichtiger Aspekt erscheint auch in 1 Tim 2,2, wo die Christen ermahnt wer-den, für den König und alle Obrigkeiten zu beten, „damit wir ein ruhiges und ungestörtes Leben führen können."

Zweierlei wird hier deutlich: Die Christen beten für den König und für die Obrigkeit, aber nicht zum König. Der Text fällt entwe-der – wenn er von Paulus stammt – in die Zeit des Nero oder, wenn er später anzusetzen ist, etwa in die Zeit Domitians, also zweier christenfeindlicher Tyrannen. Trotzdem beten die Christen für den Herrscher, damit er seinen Auftrag erfüllen kann. Wo er sich frei-lich zum Gott macht, verweigern sie den Gehorsam. Das Zweite besteht darin, dass auf eine außerordentlich nüchterne, beinahe banal wirkende Art die Aufgabe des Staates formuliert wird: Er hat für den inneren und äußeren Frieden zu sorgen. Das mag, wie ge-sagt, eher banal klingen, aber darin ist doch ein wesentlicher mo-ralischer Anspruch ausgedrückt: Innerer und äußerer Friede sind nur möglich, wenn die wesentlichen Rechtsgüter des Menschen und der Gemeinschaft gesichert sind.

Versuchen wir nun möglichst kurz, diese Aussagen den Perspek-tiven zuzuordnen, denen wir vorher begegnet waren. Mir scheint, man könne zweierlei sagen. Das dynamisierte Geschichtsbild der Apokalyptik und der messianischen Hoffnungen tritt nur indirekt in Erscheinung; der Messianismus ist durch die Gestalt Jesu we-sentlich modifiziert. Er bleibt insofern politisch relevant, als er den Punkt markiert, an dem das Martyrium notwendig und damit der Anspruch des Staates begrenzt wird. Jedes Martyrium aber steht unter der Verheißung des auferstandenen und wiederkommenden Christus; es weist insofern über die bestehende Welt hinaus auf eine neue, endgültige Gemeinschaft der Menschen mit Gott und unter-einander. Aber diese Begrenzung der Reichweite des Staates und diese Eröffnung des Horizonts einer künftigen neuen Welt hebt die bestehenden staatlichen Ordnungen nicht auf, die auf der Basis der natürlichen Vernunft und ihrer Logik weiter walten müssen und gültige Ordnungen für die Zeit der Geschichte sind. Ein schwärmerischer eschatologisch-revolutionärer Messianismus ist dem Neuen Testament absolut fremd. Die Geschichte ist sozusagen das Reich der Vernunft; die Politik errichtet nicht das Reich Gottes, wohl aber hat sie für das rechte Reich der Menschen zu sorgen, das heißt: die Voraussetzungen für inneren und äußeren Frieden und für eine Gerechtigkeit zu schaffen, in der alle „ein ungestörtes und ruhiges Leben führen können in aller Frömmigkeit und Ehrbarkeit" (1 Tim 2,2). Man könnte sagen, dass darin auch das Postulat der Religionsfreiheit ausgesprochen ist, wie umgekehrt der Vernunft zugetraut wird, die wesentlichen moralischen Grundlagen des Menschseins zu erkennen und politisch zur Wirkung zu bringen. Insofern gibt es da eine Gemeinsamkeit mit den Positionen, die das Tao oder das Dharma zur Grundlage des Staates erklären. Deswegen konnten sich die Christen mit der stoischen Idee des sittlichen Naturgesetzes befreunden, das ähnliche Auffassungen im Kontext griechischer Philosophie zur Geltung brachte. Die besonders im Danielbuch sichtbare Dynamisierung der Geschichte, die die Geschichte nicht einfach kosmisch sieht, sondern als Dynamik von gut und böse in fortschreitender Bewegung interpretiert, bleibt durch die messianische Hoffnung präsent. Sie verdeutlicht die sittlichen Maßstäbe der Politik und zeigt die Grenzen der politischen Macht an; durch den Horizont der Hoffnung, den sie über der Geschichte und in ihr sichtbar werden lässt, gibt sie den Mut zum rechten Handeln und zum rechten Leiden. Insofern kann man von einer Synthese von kosmischer und geschichtlicher Sicht sprechen.

Ich glaube, dass man von hier aus sogar genau definieren kann, wo die Grenze zwischen christlicher und nichtchristlicher, gnostischer Apokalyptik verläuft. Christlich ist Apokalyptik dann, wenn sie den Zusammenhang mit dem Schöpfungsglauben wahrt; wo der Schöpfungsglaube, seine Konstanz und sein Vertrauen auf die Vernunft aufgegeben wird, da ist der Umschlag vom christlichen Glauben zur Gnosis vollzogen. Innerhalb dieser Grundentscheidungen gibt es zweifellos eine große Bandbreite von Variationen, aber doch eine gemeinsame Grundoption. Eine Analyse der Texte, die hier nicht möglich ist, könnte zeigen, dass die Apokalypse des

Johannes, so sehr ihr Pathos des Widerstandes sie von den apostolischen Schriften unterscheidet, ganz klar innerhalb der christlichen Option verbleibt.

4. Konsequenzen für den Einsatz der Christen in der Politik

Was folgt aus alledem für den Zusammenhang von politischer Vision und politischer Praxis heute? Darüber wäre ohne Zweifel ein weit gespannter Disput zu führen, für den ich mich nicht zuständig fühle. Aber in zwei Thesen möchte ich möglichst kurz Hinweise für die Übersetzung dieser Vorgaben ins Heute versuchen.

1. Die Politik ist das Reich der Vernunft, und zwar einer nicht bloß technisch-kalkulatorischen, sondern der moralischen Vernunft, da das Staatsziel und so das letzte Ziel aller Politik moralischer Natur ist, nämlich Friede und Gerechtigkeit. Das bedeutet, dass immer wieder die moralische Vernunft oder – vielleicht besser – die vernünftige Einsicht in das, was der Gerechtigkeit und dem Frieden dient, also moralisch ist, in Gang gebracht und gegen Verdunklungen verteidigt werden muss, die die moralische Einsichtsfähigkeit der Vernunft lähmen. Die Parteilichkeit, die sich der Macht verbündet, wird immer wieder in unterschiedlichen Formen Mythen produzieren, die sich als der wahre Weg des Moralischen in der Politik präsentieren, in Wahrheit aber Blendungen und Verblendungen der Macht sind.

Wir haben im abgelaufenen Jahrhundert zwei große Mythenbildungen mit schrecklichen Folgen erlebt: den Rassismus mit seiner verlogenen Heilsverheißung von seiten des Nationalsozialismus; die Divinisierung der Revolution auf dem Hintergrund des dialektischen Geschichtsevolutionismus; beide Male wurden die moralischen Ureinsichten des Menschen über gut und böse außer Kraft gesetzt. Alles, was der Herrschaft der Rasse bzw. alles, was der Heraufführung der zukünftigen Welt dient, ist gut – so wurde uns gesagt –, auch wenn es nach den bisherigen Einsichten der Menschheit als schlecht zu gelten hätte.

Nach dem Abtreten der großen Ideologien sind heute die politischen Mythen weniger deutlich umschrieben, aber es gibt auch heute Formen der Mythisierung von wirklichen Werten, die gerade dadurch glaubwürdig erscheinen, dass sie sich an echte Werte heften, aber eben doch auch dadurch gefährlich sind, dass sie diese Werte in einer mythisch zu nennenden Weise vereinseitigen. Ich würde sagen, dass heute drei Werte im allgemeinen Bewusstsein führend sind, deren mythische Vereinseitigung zugleich die Gefährdung der moralischen Vernunft im Heute darstellt. Diese drei immer wieder mythisch vereinseitigten Werte sind Fortschritt, Wissenschaft, Freiheit.

Fortschritt ist nach wie vor ein geradezu mythisches Wort, das sich als Norm politischen und allgemein menschlichen Handelns aufdrängt und als dessen höchste moralische Qualifikation erscheint. Wer den Weg auch nur der letzten hundert Jahre überblickt, kann nicht leugnen, dass ungeheure Fortschritte in der Medizin, in der Technik, im Verstehen und in der Nutzung der Kräfte der Natur erzielt worden sind und weitere Fortschritte erhofft werden dürfen. Allerdings liegt auch die Ambivalenz dieses Fortschritts zutage: Der Fortschritt fängt an, die Schöpfung – die Basis unserer Existenz – zu gefährden; er produziert Ungleichheit unter den Menschen, und er produziert auch immer neue Bedrohungen von Welt und Mensch. Insofern sind moralische Steuerungen des Fortschritts unerlässlich. *Nach welchen Maßstäben?*

Das ist die Frage. Vor allem aber muss klar gesehen werden, dass der Fortschritt sich ja auf den Umgang des Menschen mit der materiellen Welt erstreckt und nicht als solcher – wie Marxismus und Liberalismus gelehrt hatten – den neuen Menschen, die neue Gesellschaft hervorbringt. Der Mensch als Mensch bleibt sich in primitiven wie in technisch entwickelten Situationen gleich und steht nicht einfach deshalb höher, weil er mit besser entwickelten Geräten umzugehen gelernt hat. Das Menschsein beginnt in allen Menschen neu. Deswegen kann es die endgültig neue, fortgeschrittene und heile Gesellschaft nicht geben, auf die nicht bloß die großen Ideologien gehofft haben, sondern die – nachdem die Hoffnung auf das Jenseits abgebaut wurde – immer mehr zum allgemeinen

Hoffnungsziel wird. Eine endgültig heile Gesellschaft würde das Ende der Freiheit voraussetzen. Weil aber der Mensch immer frei bleibt, in jeder Generation neu beginnt, darum muss auch die rechte Form der Gesellschaft immer neu in den je neuen Bedingungen errungen werden. Das Reich der Politik ist deshalb die Gegenwart und nicht die Zukunft – die Zukunft nur insoweit, als die heutige Politik Formen des Rechts und des Friedens zu schaffen versucht, die auch morgen standhalten können und zu entsprechenden Neugestaltungen einladen, die das Errungene aufnehmen und fortführen. Aber garantieren können wir das nicht. Ich denke, dass es sehr wesentlich ist, diese Grenzen des Fortschritts ins Bewusstsein zu rücken und falsche Ausflucht in die Zukunft abzubauen.

An zweiter Stelle nenne ich den Begriff *Wissenschaft*. Wissenschaft ist ein hohes Gut, gerade deshalb weil sie kontrollierte und von Erfahrung bestätigte Form von Rationalität ist. Aber es gibt auch Pathologien der Wissenschaft, Verzwecklichung ihres Könnens für die Macht, in denen zugleich der Mensch entehrt wird. Wissenschaft kann auch der Unmenschlichkeit dienen, ob wir an die Massenvernichtungswaffen denken oder an Menschenversuche oder an die Behandlung des Menschen als Organvorrat usw. Deswegen muss klar sein, dass auch die Wissenschaft moralischen Maßstäben untersteht und ihr wahres Wesen immer dann verlorengeht, wenn sie sich statt der Menschenwürde der Macht oder dem Kommerz oder einfach dem Erfolg als einzigem Maßstab verschreibt.

Schließlich steht da der Begriff der *Freiheit*. Auch er hat in der Neuzeit vielfach mythische Züge angenommen. Freiheit wird nicht selten anarchisch und einfach antiinstitutionell gefasst und wird damit zu einem Götzen: Menschliche Freiheit kann immer nur Freiheit des rechten Miteinander, Freiheit in der Gerechtigkeit sein, andernfalls wird sie zur Lüge und führt zur Sklaverei.

2. Das Ziel aller immer von neuem nötigen Entmythisierungen ist die Freigabe der Vernunft zu sich selbst. Hier muss aber noch einmal ein Mythos entlarvt werden, der uns erst vor die letzte entscheidende Frage vernünftiger Politik stellt: Der Mehrheitsentscheid

ist in vielen Fällen, vielleicht in den allermeisten der „vernünftigste" Weg, um zu gemeinsamen Lösungen zu kommen. Aber die Mehrheit kann kein letztes Prinzip sein; es gibt Werte, die keine Mehrheit außer Kraft zu setzen das Recht hat. Die Tötung Unschuldiger kann nie Recht werden und von keiner Macht zu Recht erhoben werden. Auch hier geht es letztlich um die Verteidigung der Vernunft: Die Vernunft, die moralische Vernunft, steht über der Mehrheit. Aber wie können diese letzten Werte erkannt werden, die die Grundlage jeder „vernünftigen", jeder moralisch rechten Politik sind und daher über allen Wechsel der Mehrheiten hinaus alle binden? Welche Werte sind das?

Die Staatslehre hat sowohl im Altertum und Mittelalter wie gerade auch in den Gegensätzen der Neuzeit an das Naturrecht appelliert, das die recta ratio erkennen kann. Aber heute scheint diese recta ratio nicht mehr zu antworten, und Naturrecht wird nicht mehr als das allen Einsichtige, sondern eher als eine katholische Sonderlehre betrachtet. Dies bedeutet *eine Krise der politischen Vernunft, die eine Krise der Politik als solcher ist.* Es scheint nur noch die parteiliche Vernunft, nicht mehr die wenigstens in den großen Grundordnungen der Werte gemeinsame Vernunft aller Menschen zu geben. An der Überwindung dieses Zustandes zu arbeiten, ist eine vordringliche Aufgabe aller, die für Frieden und Gerechtigkeit in der Welt Verantwortung tragen – und das sind wir im letzten doch alle. Dieses Mühen ist keineswegs aussichtslos, eben deshalb nicht, weil die Vernunft sich selbst immer wieder gegen die Macht und die Parteilichkeit zu Worte melden wird.

Es gibt heute einen veränderten Wertekanon, der praktisch nicht bestritten ist, aber allerdings zu unbestimmt bleibt und blinde Stellen aufweist. Die Trias Friede, Gerechtigkeit, Bewahrung der Schöpfung ist allgemein anerkannt, freilich inhaltlich völlig unbestimmt: Was dient dem Frieden? Was ist Gerechtigkeit? Wie bewahrt man die Schöpfung am besten? Andere praktisch allgemein anerkannte Werte sind die Gleichheit der Menschen gegenüber dem Rassismus, die gleiche Würde der Geschlechter, die Freiheit des Denkens und des Glaubens. Auch hier gibt es inhaltliche Undeutlichkeiten, die sogar wieder zur Bedrohung der Freiheit des Denkens und des Glaubens werden können, aber die Grundrichtungen sind zu bejahen und sind wichtig.

Ein wesentlicher Punkt bleibt kontrovers: das Recht zu leben für jeden, der Mensch ist, die Unantastbarkeit des menschlichen Lebens in allen seinen Phasen. Im Namen der Freiheit und im Namen der Wissenschaft werden hier immer mehr gravierendere Lücken in dieses Recht gerissen: Wo Abtreibung als Freiheitsrecht angesehen wird, ist die Freiheit des Einen über das Lebensrecht des Anderen gestellt. Wo Menschenversuche mit Ungeborenen im Namen der Wissenschaft eingefordert werden, ist die Würde des Menschen in den Wehrlosesten geleugnet und getreten. Hier müssen die Entmythisierungen der Begriffe Freiheit und Wissenschaft Platz greifen, wenn wir nicht die Grundlagen allen Rechts, die Achtung vor dem Menschen und seiner Würde verlieren wollen.

Ein zweiter blinder Punkt besteht in der Freiheit, das zu verhöhnen, was anderen heilig ist. Gottlob kann sich bei uns niemand erlauben, das zu verspotten, was Juden oder was Moslems heilig ist. Aber zu den grundlegenden Freiheitsrechten zählt man das Recht, das Heilige der Christen in den Staub zu ziehen und mit Spott zu überschütten. Und endlich ist da ein weiterer dunkler Punkt: Ehe und Familie erscheinen nicht länger als grundlegende Werte einer modernen Gesellschaft. Eine Vervollständigung der Wertetafel und eine Entmythisierung von mythisch entstellten Werten ist dringend geboten.

Bei meinem Disput mit dem Philosophen Arcais de Flores kam gerade dieser Punkt – die Grenze des Konsensprinzips – zur Sprache. Der Philosoph konnte nicht leugnen, dass es Werte gibt, die auch für Mehrheiten nicht zur Debatte stehen dürfen. Aber welche? Angesichts dieses Problems hat der Moderator des Disputs, Gad Lerner, die Frage gestellt: Warum nicht den Dekalog zum Maßstab nehmen? Und in der Tat – der Dekalog ist nicht ein Sonderbesitz der Christen oder der Juden. Er ist ein höchster Ausdruck moralischer Vernunft, der sich als solcher weithin auch mit der Weisheit der anderen großen Kulturen trifft. Am Dekalog wieder Maß zu nehmen, könnte gerade für die Heilung der Vernunft, für das neue Aktivwerden der recta ratio wesentlich sein.

Hier wird nun auch deutlich, was der Glaube zur rechten Politik beitragen kann: Er ersetzt nicht die Vernunft, aber er kann zur Evidenz der wesentlichen Werte beitragen. Durch das Experiment des Lebens im Glauben gibt er ihnen Glaubwürdigkeit, die dann auch die Vernunft erleuchtet und heilt. Im vergangenen Jahrhundert hat – wie in allen Jahrhunderten – gerade das Zeugnis der Martyrer die Ekzesse der Macht begrenzt und so entscheidend zur Genesung der Vernunft beigetragen.

II
Was die Welt zusammenhält

Vorpolitische moralische Grundlagen eines freiheitlichen Staates

In der Beschleunigung des Tempos der geschichtlichen Entwicklungen, in der wir stehen, treten, wie mir scheint, vor allem zwei Faktoren als Kennzeichen einer vordem nur langsam anlaufenden Entwicklung hervor: Da ist zum einen die Ausbildung einer Weltgesellschaft, in der die einzelnen politischen, wirtschaftlichen und kulturellen Mächte immer mehr gegenseitig aufeinander verwiesen sind und in ihren verschiedenen Lebensräumen sich gegenseitig berühren und durchdringen. Das andere ist die Entwicklung von Möglichkeiten des Menschen, von Macht des Machens und des Zerstörens, die weit über alles bisher Gewohnte hinaus die Frage nach der rechtlichen und sittlichen Kontrolle der Macht aufwerfen. So ist die Frage von hoher Dringlichkeit, wie die sich begegnenden Kulturen ethische Grundlagen finden können, die ihr Miteinander auf den rechten Weg führen und eine gemeinsame rechtlich verantwortete Gestalt der Bändigung und Ordnung der Macht aufbauen können.

Dass das von Hans Küng vorgetragene Projekt „Weltethos" einen solchen Zuspruch findet, zeigt auf jeden Fall an, dass die Frage aufgerichtet ist. Das gilt auch dann, wenn man die scharfsichtige Kritik akzeptiert, die Robert Spaemann an diesem Projekt geübt hat[1]. Denn zu den beiden genannten Faktoren tritt ein dritter: Im Prozess der Begegnung und Durchdringung der Kulturen sind ethische Gewissheiten weithin zerbrochen, die bisher tragend waren. Die Frage, was nun eigentlich, zumal in dem gegebenen Kontext, das Gute sei, und warum man es, auch selbst zum

---

[1] *R. Spaemann*, Weltethos als "Projekt", in: Merkur, Heft 570/571 S. 893-904.

eigenen Schaden, tun müsse, diese Grundfrage steht weithin ohne Antwort da.

Nun scheint mir offenkundig, dass die Wissenschaft als solche Ethos nicht hervorbringen kann, dass also ein erneuertes ethisches Bewusstsein nicht als Produkt wissenschaftlicher Debatten zustande kommt. Andererseits ist doch auch unbestreitbar, dass die grundlegende Veränderung des Welt- und Menschenbildes, die sich aus den wachsenden wissenschaftlichen Erkenntnissen ergeben hat, wesentlich am Zerbrechen alter moralischer Gewissheiten beteiligt ist. Insofern gibt es nun doch eine Verantwortung der Wissenschaft um den Menschen als Menschen, und besonders eine Verantwortung der Philosophie, die Entwicklung der einzelnen Wissenschaften kritisch zu begleiten, voreilige Schlussfolgerungen und Scheingewissheiten darüber, was der Mensch sei, woher er komme und wozu er existiere, kritisch zu durchleuchten, oder, anders gesagt, das nichtwissenschaftliche Element aus den wissenschaftlichen Ergebnissen auszuscheiden, mit denen es oft vermengt ist, und so den Blick auf das Ganze, auf die weiteren Dimensionen der Wirklichkeit des Menschseins offen zu halten, von dem sich in der Wissenschaft immer nur Teilaspekte zeigen können.

1. Macht und Recht

Konkret ist es die Aufgabe der Politik, Macht unter das Maß des Rechtes zu stellen und so ihren sinnvollen Gebrauch zu ordnen. Nicht das Recht des Stärkeren, sondern die Stärke des Rechts muss gelten. Macht in der Ordnung und im Dienst des Rechtes ist der Gegenpol zur Gewalt, unter der wir rechtlose und rechtswidrige Macht verstehen. Deswegen ist es für jede Gesellschaft wichtig, die Verdächtigung des Rechts und seiner Ordnungen zu überwinden, weil nur so Willkür gebannt und Freiheit als gemeinsam geteilte Freiheit gelebt werden kann. Die rechtlose Freiheit ist Anarchie und darum Freiheitszerstörung. Der Verdacht gegen das Recht, die Revolte gegen das Recht wird immer dann aufbrechen, wenn das Recht selbst nicht mehr als Ausdruck einer im Dienst aller stehenden Gerechtigkeit erscheint, sondern als Produkt von Willkür, als Rechtsanmaßung derer, die die Macht dazu haben.

Die Aufgabe, Macht unter das Maß des Rechtes zu stellen, verweist daher auf die weitere Frage: Wie entsteht Recht, und wie muss Recht beschaffen sein, damit es Vehikel der Gerechtigkeit und nicht Privileg derer ist, die die Macht haben, Recht zu setzen? Es ist einerseits die Frage nach dem Werden des Rechts gestellt, aber andererseits auch die Frage nach seinen eigenen inneren Maßen. Das Problem, dass Recht nicht Machtinstrument weniger, sondern Ausdruck des gemeinsamen Interesses aller sein muss, dieses Problem scheint, fürs erste jedenfalls, durch die Instrumente demokratischer Willensbildung gelöst, weil darin alle am Entstehen des Rechtes mitwirken und daher es Recht aller ist und als solches geachtet werden kann und muss. In der Tat ist die Gewähr der gemeinsamen Mitwirkung an der Rechtsgestaltung und an der gerechten Verwaltung der Macht der wesentliche Grund, der für die Demokratie als die angemessenste Form politischer Ordnung spricht.

Trotzdem, so scheint mir, bleibt noch eine Frage übrig. Da es Einstimmigkeit unter Menschen schwerlich gibt, bleibt der demokratischen Willensbildung als unerlässliches Instrument nur zum einen die Delegation, zum anderen die Mehrheitsentscheidung übrig, wobei je nach der Wichtigkeit der Frage unterschiedliche Größenordnungen für die Mehrheit verlangt werden können. Aber auch Mehrheiten können blind oder ungerecht sein. Die Geschichte zeigt es überdeutlich. Wenn eine noch so große Mehrheit eine Minderheit, etwa eine religiöse oder rassische, durch oppressive Gesetze unterdrückt, kann man da noch von Gerechtigkeit, von Recht überhaupt, sprechen? So lässt das Mehrheitsprinzip immer noch die Frage nach den ethischen Grundlagen des Rechts übrig, die Frage, ob es nicht das gibt, was nie Recht werden kann, also das, was immer in sich Unrecht bleibt, oder umgekehrt auch das, was seinem Wesen nach unverrückbar Recht ist, das jeder Mehrheitsentscheidung vorausgeht und von ihr respektiert werden muss.

Die Neuzeit hat einen Bestand solcher normativer Elemente in den verschiedenen Menschenrechtserklärungen formuliert und sie dem Spiel der Mehrheiten entzogen. Nun mag man sich im gegenwärtigen Bewusstsein mit der inneren Evidenz dieser Werte begnügen. Aber auch eine solche Selbstbeschränkung des Fragens hat philosophischen Charakter. Es gibt also in sich stehende Werte, die aus dem Wesen des Menschseins folgen und daher für alle Inhaber dieses Wesens unantastbar sind. Auf die Reichweite einer solchen Vorstellung werden wir später noch einmal zurückkommen müssen, zumal diese Evidenz heute keineswegs in allen Kulturen anerkannt ist. Der Islam hat einen eigenen, vom westlichen abweichenden Katalog der Menschenrechte definiert. China ist zwar heute von einer im Westen entstandenen Kulturform, dem Marxismus, bestimmt, stellt aber, soweit ich informiert bin, doch die Frage, ob es sich bei den Menschenrechten nicht um eine typisch westliche Erfindung handele, die hinterfragt werden müsse.

2. Neue Formen der Macht und neue Fragen nach ihrer Bewältigung

Wenn es um das Verhältnis von Macht und Recht und um die Quellen des Rechts geht, muss auch das Phänomen der Macht selbst näher in den Blick genommen werden. Ich möchte nicht versuchen, das Wesen von Macht als solcher zu definieren, sondern die Herausforderungen skizzieren, die aus den neuen Formen von Macht resultieren, die sich im letzten halben Jahrhundert entwickelt haben.

In der ersten Periode der Zeit nach dem Zweiten Weltkrieg war das Erschrecken vor der neuen Zerstörungsmacht dominierend, die dem Menschen mit der Erfindung der Atombombe zugewachsen war. Der Mensch sah sich plötzlich imstande, sich selbst und seine Erde zu zerstören. Es erhob sich die Frage: Welche politischen Mechanismen sind nötig, um diese Zerstörung zu bannen? Wie können solche Mechanismen gefunden und wirksam gemacht werden? Wie können ethische Kräfte mobilisiert werden, die solche politischen Formen gestalten und ihnen Wirksamkeit verleihen? De facto war es dann über eine lange Periode hin die Konkurrenz der einander entgegengesetzten Machtblöcke und die Furcht, mit der Zerstörung des anderen die eigene Zerstörung einzuleiten, die uns vor den Schrecken des Atomkrieges bewahrt haben. Die gegenseitige Begrenzung der Macht und die Furcht um das eigene Überleben erwiesen sich als die rettenden Kräfte.

Inzwischen beängstigt uns nicht mehr so sehr die Furcht vor dem großen Krieg, sondern die Furcht vor dem allgegenwärtigen Terror, der an einer jeder Stelle zuschlagen und wirksam werden kann. Die Menschheit, so sehen wir jetzt, braucht gar nicht den großen Krieg, um die Welt unlebbar zu machen. Die anonymen Mächte des Terrors, die an allen Orten präsent sein können, sind stark genug, um alle bis in den Alltag hinein zu verfolgen, wobei das Gespenst bleibt, dass verbrecherische Elemente sich Zugang zu den großen Potentialen der Zerstörung schaffen und so außerhalb der Ordnung der Politik die Welt dem Chaos ausliefern könnten. So hat sich die Frage nach dem Recht und nach dem Ethos verschoben: Aus welchen Quellen speist sich der *Terror*? Wie kann es gelingen, diese neue Erkrankung der Menschheit von innen her zu bannen? Dabei ist erschreckend, dass sich wenigstens teilweise der Terror moralisch legitimiert. Die Botschaften von Bin Laden präsentieren den Terror als die Antwort der machtlosen und unterdrückten Völker auf den Hochmut der Mächtigen, als die gerechte Strafe für ihre Anmaßung und für ihre gotteslästerliche Selbstherrlichkeit und Grausamkeit. Für die Menschen in bestimmten sozialen und politischen Situationen sind solche Motivationen offensichtlich überzeugend. Zum Teil wird terroristisches Verhalten als Verteidigung religiöser Tradition gegen die Gottlosigkeit der westlichen Gesellschaft dargestellt.

An dieser Stelle erhebt sich eine Frage, auf die wir ebenfalls zurückkommen müssen: Wenn Terrorismus auch durch religiösen Fanatismus gespeist wird – und er wird es –, *ist dann Religion eine heilende und rettende, oder nicht eher eine archaische und gefährliche Macht*, die falsche Universalismen aufbaut und dadurch zu Intoleranz und Terror verleitet? Muss da nicht Religion unter das Kuratel der Vernunft gestellt und sorgsam eingegrenzt werden? Dabei stellt sich dann freilich die Frage: Wer kann das? Wie macht man das? Aber die generelle Frage bleibt: Ist die allmähliche Aufhebung der Religion, ihre Überwindung, als nötiger Fortschritt der Menschheit anzusehen, damit sie auf den Weg der Freiheit und der universalen Toleranz kommt, oder nicht?

Inzwischen ist eine andere Form von Macht in den Vordergrund gerückt, die zunächst rein wohltätig und allen Beifalls würdig zu sein scheint, in Wirklichkeit aber zu einer neuen Art von Bedrohung des Menschen werden kann. Der Mensch ist nun imstande, Menschen zu machen, sie sozusagen im Reagenzglas zu produzieren. Der Mensch wird zum Produkt, und damit verändert sich das Verhältnis des Menschen zu sich selbst von Grund auf. Er ist nicht mehr ein Geschenk der Natur oder des Schöpfergottes; er ist sein eigenes Produkt. Der Mensch ist in die Brunnenstube der Macht hinuntergestiegen, an die Quellorte seiner eigenen Existenz. Die Versuchung, nun erst den rechten Menschen zu konstruieren, die Versuchung, mit Menschen zu experimentieren, die Versuchung, Menschen als Müll anzusehen und zu beseitigen, ist kein Hirngespinst fortschrittsfeindlicher Moralisten.

Wenn sich uns vorhin die Frage aufdrängte, ob die Religion eigentlich eine positive moralische Kraft sei, so muss nun der *Zweifel an der Verlässlichkeit der Vernunft* aufsteigen. Schließlich ist ja auch die Atombombe ein Produkt der Vernunft; schließlich sind Menschenzüchtung und -selektion von der Vernunft ersonnen worden. Müsste also jetzt nicht umgekehrt die Vernunft unter Aufsicht gestellt werden? Aber durch wen oder was? Oder sollten vielleicht Religion und Vernunft sich gegenseitig begrenzen und je in ihre Schranken weisen und auf ihren positiven Weg bringen? An dieser Stelle steht erneut die Frage auf, wie in einer Weltgesellschaft mit ihren Mechanismen der Macht und mit ihren ungebändigten Kräften wie mit ihren verschiedenen Sichten dessen, was Recht und was Moral ist, eine wirksame ethische Evidenz gefunden werden kann, die Motivations- und Durchsetzungskraft genug hat, um auf die angedeuteten Herausforderungen zu antworten und sie bestehen zu helfen.

3. Voraussetzungen des Rechts:
Recht – Natur – Vernunft

Zunächst legt sich ein Blick in geschichtliche Situationen nahe, die der unseren vergleichbar sind, soweit es Vergleichbares gibt. Immerhin lohnt sich ein ganz kurzer Blick darauf, dass Griechenland seine Aufklärung kannte, dass das götterbegründete Recht seine Evidenz verlor und nach tieferen Gründen des Rechts gefragt werden musste. So kam der Gedanke auf: Gegenüber dem gesetzten Recht, das Unrecht sein kann, muss es doch ein Recht geben, das aus der Natur, dem Sein des Menschen selbst folgt. Dieses Recht muss gefunden werden und bildet dann das Korrektiv zum positiven Recht.

Uns näher liegend ist der Blick auf den doppelten Bruch, der zu Beginn der Neuzeit für das europäische Bewusstsein eingetreten ist und zu den Grundlagen neuer Reflexion über Inhalt und Quelle des Rechts nötigte. Da ist zuerst der Ausbruch aus den Grenzen der europäischen, der christlichen Welt, der sich mit der Entdeckung Amerikas vollzieht. Nun begegnet man Völkern, die nicht dem christlichen Glaubens- und Rechtsgefüge zugehören, das bisher die Quelle des Rechts für alle war und ihm seine Gestalt gab. Es gibt keine Rechtsgemeinsamkeit mit diesen Völkern. Aber sind sie dann rechtlos, wie manche damals behaupteten und wie es weithin praktiziert wurde, oder gibt es ein Recht, das alle Rechtssysteme überschreitet, Menschen als Menschen in ihrem Zueinander bindet und weist? Francisco de Vitoria hat in dieser Situation die Idee des „ius gentium", des „Rechts der Völker", die schon im Raum stand, entwickelt, wobei in dem Wort „gentes" die Bedeutung Heiden, Nichtchristen, mitschwingt. Gemeint ist also das Recht, das der christlichen Rechtsgestalt vorausliegt und ein rechtes Miteinander aller Völker zu ordnen hat.

Der zweite Bruch in der christlichen Welt vollzog sich innerhalb der Christenheit selbst durch die Glaubensspaltung, durch die die Gemeinschaft der Christen in einander – zum Teil feindselig – gegenüberstehende Gemeinschaften aufgefächert worden ist. Wiederum ist ein dem Dogma vorausgehendes gemeinsames Recht, wenigstens ein Rechtsminimum, zu entwickeln, dessen Grundlagen nun nicht mehr im Glauben, sondern in der Natur, in der Vernunft des Menschen liegen müssen. Hugo Grotius, Samuel von Pufendorf und andere haben die Idee des Naturrechts als eines Vernunftrechts entwickelt, das über Glaubensgrenzen hinweg die Vernunft als das Organ gemeinsamer Rechtsbildung in Kraft setzt.

Das Naturrecht ist – besonders in der katholischen Kirche – die Argumentationsfigur geblieben, mit der sie in den Gesprächen mit der säkularen Gesellschaft und mit anderen Glaubensgemeinschaften an die gemeinsame Vernunft appelliert und die Grundlagen für eine Verständigung über die ethischen Prinzipien des Rechts in einer säkularen pluralistischen Gesellschaft sucht. Aber dieses Instrument ist leider stumpf geworden, und ich möchte mich daher in diesem Gespräch nicht darauf stützen. Die Idee des Naturrechts setzte einen Begriff von Natur voraus, in dem Natur und Vernunft ineinander greifen, die Natur selbst vernünftig ist. Diese Sicht von Natur ist mit dem Sieg der Evolutionstheorie zu Bruche gegangen. Die Natur als solche sei nicht vernünftig, auch wenn es in ihr vernünftiges Verhalten gibt: Das ist die Diagnose, die uns von dort gestellt wird und die heute weithin unwidersprechlich scheint[2]. Von den verschiedenen Dimensionen des Naturbegriffs, die dem ehemaligen Naturrecht zugrunde lagen, ist so nur diejenige übrig geblieben, die Ulpian (frühes 3. Jahrhundert nach Christus) in den bekannten Satz fasste: „Ius naturae est, quod natura omnia animalia docet."[3] Aber

---

[2] Am eindrucksvollsten durchgeführt ist diese – trotz mancher Korrekturen im einzelnen – immer noch dominante Philosophie der Evolution bei *J. Monod*, Zufall und Notwendigkeit. Philosophische Fragen der modernen Biologie (München 1973). Für die Unterscheidung der tatsächlichen naturwissenschaftlichen Ergebnisse von der sie begleitenden Philosophie ist hilfreich: *R. Junker – S. Scherer* (Hg.), Evolution. Ein kritisches Lehrbuch; (Gießen[4] 1998). Hinweise zur Auseinandersetzung mit der die Evolutionslehre begleitenden Philosophie: *J. Ratzinger*, Glaube – Wahrheit –Toleranz (Freiburg i. Br. 2003), S. 131-147.
[3] Zu den drei Dimensionen des mittelalterlichen Naturrechts (Dynamik des Seins im allgemeinen, Gerichtetheit der Menschen und Tieren gemeinsamen Natur (Ulpian), spezifische Gerichtetheit der vernünftigen Natur des Menschen) vgl. die Hinweise in dem Artikel von *Ph. Delhaye*, Naturrecht, in: LThK[2] VII, Sp. 821-825. Bemerkenswert der Begriff von Naturrecht, der am Anfang des Decretum Gratiani steht: Humanum genus duobus regitur, naturali videlicit iure, et moribus. Ius naturale est, quod in lege et Evangelio continetur, quo quisque iubetur, alii facere, quod sibi vult fieri, et prohibetur, alii inferre, quod sibi nolit fieri.

das gerade reicht für unsere Fragen nicht aus, in denen es eben nicht um das geht, was alle „animalia" betrifft, sondern um spezifisch menschliche Aufgaben, die die Vernunft des Menschen geschaffen hat und die ohne Vernunft nicht beantwortet werden können.

Als letztes Element des Naturrechts, das im Tiefsten ein Vernunftrecht sein wollte, jedenfalls in der Neuzeit, sind die *Menschenrechte* stehen geblieben. Sie sind nicht verständlich ohne die Voraussetzung, dass der Mensch als Mensch, einfach durch seine Zugehörigkeit zur Spezies Mensch, Subjekt von Rechten ist, dass sein Sein selbst Werte und Normen in sich trägt, die zu finden, aber nicht zu erfinden sind. Vielleicht müsste heute die Lehre von den Menschenrechten um eine Lehre von den Menschenpflichten und von den Grenzen des Menschen ergänzt werden, und das könnte nun doch die Frage erneuern helfen, ob es nicht eine Vernunft der Natur und so ein Vernunftrecht für den Menschen und sein Stehen in der Welt geben könne. Ein solches Gespräch müsste heute interkulturell ausgelegt und angelegt werden. Für Christen hätte es mit der Schöpfung und dem Schöpfer zu tun. In der indischen Welt entspräche dem der Begriff des „Dharma", der inneren Gesetzlichkeit des Seins, in der chinesischen Überlieferung die Idee der Ordnungen des Himmels.

4. Interkulturalität und ihre Folgen

Bevor ich versuche, zu Schlussfolgerungen zu kommen, möchte ich die eben gelegte Spur noch ein wenig ausweiten. Interkulturalität erscheint mir heute eine unerlässliche Dimension für die Diskussion um die Grundfragen des Menschseins zu bilden, die weder rein binnenchristlich noch rein innerhalb der abendländischen Vernunfttradition geführt werden kann. Beide sehen sich zwar ihrem Selbstverständnis nach für universal an und mögen es de iure auch sein. De facto müssen sie anerkennen, dass sie nur in Teilen der Menschheit angenommen und auch nur in Teilen der Menschheit verständlich sind. Die Zahl der konkurrierenden Kulturen ist freilich viel begrenzter, als es auf den ersten Blick scheinen mag.

Vor allem ist wichtig, dass es innerhalb der kulturellen Räume keine Einheitlichkeit mehr gibt, sondern dass alle kulturellen Räume durch tiefgreifende Spannungen innerhalb ihrer eigenen kulturellen Tradition geprägt sind. Im Westen ist das ganz offenkundig. Auch wenn die säkulare Kultur einer strengen Rationalität, von der uns Jürgen Habermas ein eindrucksvolles Bild gegeben hat, weithin dominant ist und sich als das Verbindende versteht, ist das christliche Verständnis der Wirklichkeit nach wie vor eine wirksame Kraft. Beide Pole stehen in unterschiedlicher Nähe oder Spannung, in gegenseitiger Lernbereitschaft oder in mehr oder weniger entschiedener Abweisung zueinander.

Auch der islamische Kulturraum ist von ähnlichen Spannungen geprägt; vom fanatischen Absolutismus eines Bin Laden bis zu den Haltungen, die einer toleranten Rationalität offen stehen, reicht ein weiter Bogen. Der dritte große Kulturraum, die indische Kultur, oder besser, die Kulturräume des Hinduismus und des Buddhismus, sind wiederum von ähnlichen Spannungen geprägt, auch wenn sie, jedenfalls für unseren Blick, weniger dramatisch hervortreten. Auch diese Kulturen sehen sich sowohl dem Anspruch der westlichen Rationalität wie den Anfragen des christlichen Glaubens ausgesetzt, die beide darin präsent sind; sie assimilieren das eine wie das andere in unterschiedlichen Weisen und suchen dabei doch ihre eigene Identität zu wahren. Die Stammeskulturen Afrikas und die von bestimmten christlichen Theologien wieder wachgerufenen Stammeskulturen Lateinamerikas ergänzen das Bild. Sie erscheinen weithin als Infragestellung der westlichen Rationalität, aber auch als Infragestellung des universalen Anspruchs der christlichen Offenbarung.

Was folgt aus alledem? Zunächst einmal, so scheint mir, die faktische Nichtuniversalität der beiden großen Kulturen des Westens, der Kultur des christlichen Glaubens wie derjenigen der säkularen Rationalität, so sehr sie beide in der ganzen Welt und in allen Kulturen auf je ihre Weise mitprägend sind. Insofern scheint mir die Frage des Teheraner Kollegen, die Jürgen Habermas erwähnt hat, doch von einigem Gewicht zu sein, die Frage nämlich, ob nicht aus kulturvergleichender und religionssoziologischer Sicht die europäische Säkularisierung ein Sonderweg sei, der einer Korrektur bedürfe. Ich würde diese Frage nicht unbedingt, jedenfalls nicht notwendig, auf die Stimmungslage von Carl Schmitt, Martin Heidegger und Levi Strauss, sozusagen einer rationalitätsmüden europäischen Situation, reduzieren.

Tatsache ist jedenfalls, dass unsere säkulare Rationalität, so sehr sie unserer westlich geformten Vernunft einleuchtet, nicht jeder Ratio einsichtig ist, dass sie als Rationalität, in ihrem Versuch, sich evident zu machen, auf Grenzen stößt. Ihre Evidenz ist faktisch an bestimmte kulturelle Kontexte gebunden, und sie muss anerkennen, dass sie als solche nicht in der ganzen Menschheit nachvollziehbar und daher in ihr auch nicht im Ganzen operativ sein kann. Mit anderen Worten, die rationale oder die ethische oder die religiöse Weltformel, auf die alle sich einigen, und die dann das Ganze tragen könnte, gibt es nicht. Jedenfalls ist sie gegenwärtig unerreichbar. Deswegen bleibt auch das sogenannte Weltethos eine Abstraktion.

5. Ergebnisse

Was also ist zu tun? Hinsichtlich der praktischen Konsequenzen finde ich mich in weitgehender Übereinstimmung mit dem, was Jürgen Habermas über eine postsäkulare Gesellschaft, über die Lernbereitschaft und die Selbstbegrenzung nach beiden Seiten hin ausgeführt hat. Meine eigene Sicht möchte ich in zwei Thesen zusammenfassen und damit schließen.

1. Wir hatten gesehen, dass es *Pathologien in der Religion* gibt, die höchst gefährlich sind und die es nötig machen, das göttliche Licht der Vernunft sozusagen als ein Kontrollorgan anzusehen, von dem her sich Religion immer wieder neu reinigen und ordnen lassen muss, was übrigens auch die Vorstellung der Kirchenväter war.[4]

---

[4] Das habe ich in meinem in Anmerkung 2 erwähnten Buch Glaube – Wahrheit – Toleranz näher darzustellen versucht; vgl. auch *M. Fiedrowicz*, Apologie im frühen Christentum (Paderborn[2] 2001).

Aber in unseren Überlegungen hat sich auch gezeigt, dass es (was der Menschheit heute im allgemeinen nicht ebenso bewusst ist) auch *Pathologien der Vernunft* gibt, eine Hybris der Vernunft, die nicht minder gefährlich, sondern von ihrer potentiellen Effizienz her noch bedrohlicher ist: Atombombe, Mensch als Produkt. Deswegen muss umgekehrt auch die Vernunft an ihre Grenzen gemahnt werden und Hörbereitschaft gegenüber den großen religiösen Überlieferungen der Menschheit lernen. Wenn sie sich völlig emanzipiert und diese Lernbereitschaft, diese Korrelationalität ablegt, wird sie zerstörerisch.

Kurt Hübner hat kürzlich eine ähnliche Forderung formuliert und gesagt, es gehe bei einer solchen These unmittelbar nicht um „Rückkehr zum Glauben", sondern darum, „dass man sich von der epochalen Verblendung befreit, er (d.h. der Glaube) habe dem heutigen Menschen deswegen nichts mehr zu sagen, weil er seiner humanistischen Idee von Vernunft, Aufklärung und Freiheit widerspreche"[5]. Ich würde demgemäß von einer notwendigen Korrelationalität von Vernunft und Glaube, Vernunft und Religion sprechen, die zu gegenseitiger Reinigung und Heilung berufen sind und die sich gegenseitig brauchen und das gegenseitig anerkennen müssen.

2. Diese Grundregel muss dann praktisch, im interkulturellen Kontext unserer Gegenwart, konkretisiert werden. Ohne Zweifel sind die beiden Hauptpartner in dieser Korrelationalität der christliche Glaube und die westliche säkulare Rationalität. Das kann und muss man ohne falschen Eurozentrismus sagen. Beide bestimmen die Weltsituation in einem Maß wie keine andere der kulturellen Kräfte. Aber das bedeutet doch nicht, dass man die anderen Kulturen als eine Art „quantité négligeable" beiseite schieben dürfte. Dies wäre nun doch eine westliche Hybris, die wir teuer bezahlen würden und zum Teil schon bezahlen. Es ist für die beiden großen Komponenten der westlichen Kultur wichtig, sich auf ein *Hören*,

---

[5] *K. Hübner*, Das Christentum im Wettstreit der Religionen (Tübingen 2003), S. 148.

eine wahre Korrelationalität auch mit diesen Kulturen einzulassen. Es ist wichtig, sie in den Versuch einer polyphonen Korrelation hineinzunehmen, in der sie sich selbst der wesentlichen Komplementarität von Vernunft und Glaube öffnen, so dass ein universaler Prozess der Reinigungen wachsen kann, in dem letztlich die von allen Menschen irgendwie gekannten oder geahnten wesentlichen Werte und Normen neue Leuchtkraft gewinnen können, so dass wieder zu wirksamer Kraft in der Menschheit kommen kann, was die Welt zusammenhält.

III
Die Freiheit, das Recht und das Gute

Moralische Prinzipien in demokratischen Gesellschaften

Es ist für mich eine große Ehre, nunmehr dem Institut de France angehören zu dürfen, und dies in der Nachfolge der großen Gestalt von Andrej Dimitrijewitsch Sacharow. Dafür danke ich von Herzen. Sacharow gehörte zu den bedeutenden Vertretern seiner Wissenschaft, der Physik, aber er war mehr als ein bedeutender Gelehrter: Er war ein großer Mensch. Er hat um die Menschlichkeit des Menschen, um seine sittliche Würde und seine Freiheit gerungen und dafür auch den Preis des Leidens, der Verfolgung, des Verzichts auf die Möglichkeit weiterer wissenschaftlicher Arbeit auf sich genommen. Wissenschaft kann der Menschlichkeit dienen, sie kann aber auch zum Instrument des Bösen werden und ihm dann erst seine volle Schrecklichkeit verleihen. Nur wenn sie getragen ist von sittlicher Verantwortung, vermag sie ihr wahres Wesen zu erfüllen.

1. Der öffentliche Anspruch des Gewissens

Ich weiß nicht, wann und wie Sacharow diese Zusammenhänge mit ihrem ganzen Ernst deutlich geworden sind. Eine kurze Notiz über eine Begebenheit aus dem Jahr 1955 gibt einen Hinweis. Im November 1955 waren sehr wichtige Versuche mit thermo-nuklearen Waffen angestellt worden, bei denen es zu tragischen Ereignissen kam: dem Tod eines jungen Soldaten und eines zweijährigen Mädchens. Bei einem anschließenden kleinen Bankett erhob Sacharow sein Glas zu einem Trinkspruch, bei dem er sagte, er hoffe, dass russische Waffen nie über Städten explodieren würden. Der Leiter des Tests, ein hoher Offizier, erklärte in seiner Antwort, die Aufgabe des Gelehrten sei es, die Waffen zu verbessern; wie sie verwendet werden, sei nicht ihre Sache. Ihr Verstand sei dafür nicht zuständig. Sacharow kommentiert dazu, er habe schon damals geglaubt, was er auch jetzt noch glaube, „dass kein einziger Mensch seinen Teil der Verantwortung für eine Sache, von der die Existenz der Menschheit abhängt, zurückweisen kann"[1]. Der Offizier hatte im Grunde – vielleicht ohne sich dessen bewusst zu sein – das Sittliche als eine eigene Größe geleugnet, in der jeder Mensch zuständig ist. Für ihn gab es offenbar nur Fachkompetenzen wissenschaftlicher, politischer, militärischer Natur. In Wahrheit gibt es keine Fachkompetenz, die das Recht verleihen könnte, Menschen zu töten oder töten zu lassen. Die Leugnung einer gemeinsamen menschlichen Einsichtsfähigkeit in das, was den Menschen als Menschen betrifft, schafft ein neues Klassensystem und erniedrigt damit alle, weil der Mensch als solcher nun nicht mehr vorkommt. Die Leugnung des sittlichen Prinzips, die Leugnung jenes allen Spezialisierungen vorausliegenden Erkenntnisorgans, das wir Gewissen nennen, leugnet den Menschen. Sacharow hat auf diese Verantwortung jedes Einzelnen für das Ganze immer wieder mit großem Nachdruck hingewiesen und in der Wahrnehmung dieser Verantwortung seine eigentliche Sendung gefunden.

Seit 1968 war er von Arbeiten ausgeschlossen, die Staatsgeheimnisse betrafen; um so mehr hat er den öffentlichen Anspruch des Gewissens vertreten. Sein Denken kreist fortan um die Menschenrechte, um die moralische Erneuerung des Landes und der Menschheit, um die allgemein menschlichen Werte überhaupt und um das Gebot des Gewissens. Er, der sein Land zutiefst liebte, musste zum Ankläger eines Regimes werden, das die Menschen in Stumpfheit, Müdigkeit, Gleichgültigkeit hineintrieb, sie äußerlich und innerlich verelendete. Nun könnte man sagen, mit dem Sturz des kommunistischen Systems habe sich Sacharows Sendung erfüllt; sie sei ein wichtiges Kapitel in der Geschichte der politischen Moral, das aber nun der Vergangenheit angehöre.

---

[1] Vgl. *A. D. Sacharow*, Mein Land und die Welt, Wien²1976, S. 82.

Ich glaube, dass eine solche Auffassung ein großer und gefährlicher Irrtum wäre. Zunächst ist klar, dass Sacharows allgemeine Orientierung auf Menschenwürde und Menschenrechte, der Gehorsam dem Gewissen gegenüber, auch um den Preis des Leidens, eine Botschaft bleibt, die ihre Aktualität auch dann nicht verliert, wenn der politische Kontext nicht mehr besteht, in dem diese Botschaft ihre eigene Aktualität erhalten hatte.

Darüber hinaus glaube ich, dass die Gefährdungen des Menschen, die mit der Herrschaft der marxistischen Parteien zu konkreten politischen Mächten der Zerstörung der Menschlichkeit geworden waren, in anderer Weise auch heute fortdauern.

Robert Spaemann hat davon gesprochen, dass nach dem Fall der Utopie heute ein banaler Nihilismus sich auszubreiten beginnt, der in seinen Ergebnissen nicht weniger gefährlich werden kann[2]. Er nennt als Beispiel den amerikanischen Philosophen Richard Rorty, der die neue Utopie des Banalen formuliert hat. Rortys Ideal ist eine liberale Gesellschaft, in der absolute Werte und Maßstäbe nicht mehr existieren werden; das Wohlbefinden wird die einzige Sache sein, die anzustreben sich lohnt. Sacharow hat die Gefahr, die sich in dieser Entleerung des Menschlichen anmeldet, in seiner behutsamen, aber durchaus entschiedenen Kritik der westlichen Welt vorweggenommen, wenn er von der „linksliberalen Mode" spricht sowie die Naivität und den Zynismus anprangert, die den Westen häufig lähmen, wo es um das Wahrnehmen seiner moralischen Verantwortung ginge[3].

2. Individuelle Freiheit und gemeinschaftliche Werte

Hier stehen wir vor der Frage, die Sacharow heute an uns stellt: Wie kann die freie Welt ihrer moralischen Verantwortung gerecht werden? Die Freiheit behält ihre Würde nur, wenn sie auf ihren sittlichen Grund und auf ihren sittlichen Auftrag bezogen bleibt.

---

[2] R. Spaemann, La perle précieuse et le nihilisme banal, in: Catholica 1992, Nr. 33, S. 43–50, Zitat S. 45.
[3] A. D. Sacharow, a.a.O., S. 17; vgl. auch 44f u. ö.

Eine Freiheit, deren einziger Inhalt in der Möglichkeit der Bedürfnisbefriedigung bestünde, wäre keine menschliche Freiheit; sie bliebe im Bereich des animalischen. Die inhaltslose Individualfreiheit hebt sich selber auf, weil die Freiheit des Einzelnen nur in einer Ordnung der Freiheiten bestehen kann. Freiheit bedarf eines gemeinschaftlichen Inhalts, den wir als die Sicherung der Menschenrechte definieren könnten. Nochmals anders ausgedrückt: Der Begriff der Freiheit verlangt seinem Wesen nach der Ergänzung durch zwei weitere Begriffe: das Recht und das Gute. Wir könnten sagen: Zu ihr gehört die Wahrnehmungsfähigkeit des Gewissens für die grundlegenden und jeden angehenden Wert der Menschlichkeit.

An dieser Stelle müssen wir das Denken Sacharows heute fortführen, um es angemessen in die Situation der Gegenwart zu übertragen. Sacharow hat bei aller Dankbarkeit für den Einsatz der freien Welt zu seinen Gunsten und zugunsten anderer Verfolgter das Versagen des Westens immer wieder in vielen politischen Vorgängen und an vielen persönlichen Schicksalen dramatisch erleben müssen. Er sah es nicht als seine Aufgabe an, die tieferen Gründe dafür zu analysieren, aber er hat doch deutlich gesehen, dass Freiheit häufig egoistisch und oberflächlich verstanden wird[4]. Freiheit kann man nicht nur für sich haben wollen; sie ist unteilbar und muss immer als Auftrag für die ganze Menschheit gesehen werden. Das bedeutet, dass man sie nicht ohne Opfer und Verzicht haben kann. Sie verlangt die Sorge darum, dass Moral als eine öffentliche und gemeinschaftliche Bindung so verstanden werde, dass man ihr – die an sich ohne Macht ist – die eigentliche Macht zuerkenne, die dem Menschen dient. Freiheit verlangt, dass die Regierungen und alle, die Verantwortung tragen, sich vor dem beugen, was aus sich wehrlos dasteht und keinen Zwang ausüben kann.

An dieser Stelle liegt die Gefährdung der modernen Demokratien, mit der wir uns im Geiste Sacharows auseinander setzen müssen. Denn es ist schwer zu sehen, wie die Demokratie, die auf dem Mehrheitsprinzip beruht, ohne einen ihr fremden Dogmatismus

---

[4] Vgl. z. B. a.a.O., S. 21f, 89.

einzuführen, diejenigen moralischen Werte in Geltung halten kann, die von keiner Mehrheitsüberzeugung getragen werden. Rorty meint dazu, eine an der Mehrheit orientierte Vernunft schließe immer einige intuitive Ideen mit ein wie etwa die Ablehnung der Sklaverei.

Noch weit optimistischer äußerte sich im 17. Jahrhundert P. Bayle. Am Ende der blutigen Kriege, in die die großen Glaubensstreitigkeiten Europa gestürzt hatten, meinte er, Metaphysik berühre das politische Leben nicht; es genüge die praktische Wahrheit. Es gebe nur eine einzige, universelle und notwendige Moral, die ein wahres und klares Licht sei, das alle Menschen wahrnehmen, sobald sie nur die Augen öffnen[5]. Bayles Ideen spiegeln die geistesgeschichtliche Situation seines Jahrhunderts: Die Einheit im Glauben war zerfallen, Wahrheiten des metaphysischen Bereichs waren nicht mehr als gemeinsames Gut festzuhalten. Aber noch waren die wesentlichen moralischen Grundüberzeugungen, mit denen das Christentum die Seelen geformt hatte, selbstverständliche Gewissheiten, die scheinbar von der Vernunft allein in ihrer reinen Evidenz wahrgenommen werden konnten.

Die Entwicklungen dieses Jahrhunderts haben uns gelehrt, dass es diese Evidenz als in sich ruhende und verlässige Grundlage aller Freiheit nicht gibt. Der Blick auf die wesentlichen Werte kann der Vernunft sehr wohl verloren gehen; auch die Intuition, auf die Rorty baut, hält nicht unbegrenzt. Die von ihm etwa angesprochene Einsicht, dass Sklaverei abzulehnen ist, bestand jahrhundertelang nicht, und wie leicht man von ihr wieder abfallen kann, zeigt die Geschichte der totalitären Staaten in unserem Jahrhundert mit hinlänglicher Deutlichkeit. Freiheit kann sich selbst aufheben, ihrer selbst überdrüssig werden, wenn sie leer geworden ist. Auch dies haben wir in unserem Jahrhundert erlebt, dass ein Mehrheitsentscheid dazu dient, die Freiheit außer Kraft zu setzen.

Wenn Sacharow durch die Erfahrung von Naivität und Zynismus im Westen beunruhigt war, so steht dahinter dieses Problem

---

[5] Vgl. *V. Possenti,* Le società liberali al bivio. Lineamenti di filosofia della società, Genova 1991, S. 293.

einer leeren und richtungslosen Freiheit. Der strenge Positivismus, der sich in der Verabsolutierung des Mehrheitsprinzips ausdrückt, schlägt irgendwann unvermeidlich in Nihilismus um. Dieser Gefahr müssen wir entgegentreten, wenn es um die Verteidigung der Freiheit und der Menschenrechte geht.

Der Danziger Politiker Hermann Rauschning hat 1938 den Nationalsozialismus als Revolution des Nihilismus diagnostiziert: „Es gab und gibt kein Ziel, das nicht der Nationalsozialismus um der Bewegung willen jederzeit preiszugeben oder aufzustellen bereit wäre."[6] Der Nationalsozialismus war nur ein Instrument, dessen sich der Nihilismus bediente, das er aber auch jederzeit wegzuwerfen und durch anderes zu ersetzen bereit war. Mir scheint, dass auch die Vorgänge, die wir im heutigen Deutschland mit einiger Beunruhigung beobachten, mit dem Etikett der Fremdenfeindlichkeit nicht hinlänglich erfasst werden können. Auch hier liegt letzten Endes ein Nihilismus zugrunde, der aus der Entleerung der Seelen kommt: In der nationalsozialistischen wie in der kommunistischen Diktatur gab es keine Handlung, die als in sich schlecht und immer unmoralisch angesehen worden wäre. Was den Zielen der Bewegung oder der Partei diente, war gut, wie unmenschlich es auch sein mochte. So ist schon über Jahrzehnte hin ein Zertreten des moralischen Sinnes vor sich gegangen, das zum vollständigen Nihilismus werden muss in dem Augenblick, in dem keines der vorherigen Ziele mehr galt und Freiheit nur als Möglichkeit stehen blieb, alles zu tun, was ein leer gewordenes Leben einen Augenblick spannend und interessant machen kann.

3. Respektierung eines Grundbestands an Menschlichkeit

Kommen wir auf die Frage zurück, wie dem Recht und dem Guten in unseren Gesellschaften gegen Naivität und Zynismus Kraft gegeben werden kann, ohne dass solche Kraft des Rechten durch

---

[6] *H. Rauschning*, Die Revolution des Nihilismus, Zürich 1938, neu hrsg. (mit Kürzungen) von *Golo Mann*, Zürich 1964. – Vgl. *J. Ratzinger*, Kirche, Ökumene und Politik, Einsiedeln 1987, S. 153f.

äußeren Zwang auferlegt oder gar willkürlich definiert würde. In diesem Betracht hat mich immer Tocquevilles Analyse der „Demokratie in Amerika" beeindruckt. Eine wesentliche Voraussetzung dafür, dass dieses an sich zerbrechliche Gebilde doch zusammenhält und eine Ordnung der Freiheiten in gemeinschaftlich gelebter Freiheit ermöglicht, sah der große politische Denker darin, dass in Amerika eine vom protestantischen Christentum genährte moralische Grundüberzeugung lebendig war, die erst den Institutionen und den demokratischen Mechanismen ihre tragenden Grundlagen gab[7]. In der Tat können Institutionen nicht halten und wirken ohne gemeinsame sittliche Überzeugungen. Diese aber können aus bloßer empirischer Vernunft nicht kommen. Auch Mehrheitsentscheidungen werden nur dann wahrhaft menschlich und vernünftig bleiben, wenn sie einen Grundbestand an Menschlichkeit voraussetzen und ihn als das eigentliche gemeinsame Gut, die Voraussetzung aller anderen Güter respektieren. Solche Überzeugungen verlangen entsprechende menschliche Haltungen, und die Haltungen können nicht gedeihen, wenn der geschichtliche Grund einer Kultur und die darin verwahrten sittlich-religiösen Einsichten nicht geachtet werden. Sich von den großen sittlichen und religiösen Kräften der eigenen Geschichte abzuschneiden ist Selbstmord einer Kultur und einer Nation. Die wesentlichen moralischen Einsichten zu pflegen, sie als ein gemeinsames Gut zu wahren und zu schützen, ohne sie zwanghaft aufzuerlegen, scheint mit eine Bedingung für das Bleiben der Freiheit gegenüber allen Nihilismen und ihren totalitären Folgen zu sein.

An dieser Stelle sehe ich auch den öffentlichen Auftrag der christlichen Kirchen in der Welt von heute. Es ist dem Wesen der Kirche gemäß, dass sie vom Staat getrennt ist und dass ihr Glaube nicht durch den Staat auferlegt werden darf, sondern auf frei gewonnenen Überzeugungen beruht. Zu diesem Punkt gibt es ein schönes Wort des Origenes, das leider nicht immer genügend beachtet worden ist: „Christus trägt über keinen den Sieg davon, der

---

[7] A. *Jardin,* Alexis de Tocqueville 1805–1859, Paris 1984, z. B. S. 210 (deutsch: Darmstadt 1991, S. 194).

es nicht will. Er siegt nur durch Überzeugen. Er ist ja das *Wort* Gottes."[8] Zur Kirche gehört es, nicht Staat oder Teil des Staates, sondern *Überzeugungsgemeinschaft* zu sein. Zu ihr gehört es aber auch, dass sie sich in Verantwortung für das Ganze weiß und sich nicht auf sich selbst beschränken kann. Sie muss aus ihrer Freiheit in die Freiheit aller hineinsprechen, damit die moralischen Kräfte der Geschichte Kräfte der Gegenwart bleiben und damit jene Evidenz der Werte immer neu entsteht, ohne die gemeinschaftliche Freiheit nicht möglich ist.

---

[8] Psalmenfragmente 4, 1: PG 12, 1133 B; vgl. *M. Geerard,* Clavis Patrum Graecorum I, 1983, S. 151. Deutsche Übersetzung: *H. U. von Balthasar,* Geist und Feuer, Einsiedeln ³1991, S. 277.

IV
Was ist Wahrheit?

Die Bedeutung religiöser und sittlicher Werte in der pluralistischen Gesellschaft

1. Relativismus als Voraussetzung der Demokratie

Nach dem Zusammenbruch der totalitären Systeme, die dem 20. Jahrhundert zunächst weithin sein Gepräge gegeben haben, hat sich heute in einem großen Teil der Erde die Überzeugung durchgesetzt, dass Demokratie zwar nicht die ideale Gesellschaft bewirkt, aber praktisch das einzig angemessene Regierungssystem ist. Sie verwirklicht Machtverteilung und Machtkontrolle und bietet damit die größtmögliche Gewähr gegen Willkür und Unterdrückung, für die Freiheit jedes Einzelnen und für die Einhaltung der Menschenrechte. Wenn wir heute von Demokratie sprechen, denken wir vor allem an diese Güter: an die Machtbeteiligung aller, die Ausdruck von Freiheit ist. Keiner soll nur Objekt von Herrschaft, nur ein Beherrschter sein; jeder soll seinen Willen ins Ganze des politischen Handelns einbringen können. Nur als Mitbestimmende können auch wirklich alle freie Bürger sein.

Das eigentliche Gut, das bei der Machtbeteiligung angestrebt wird, ist also die Freiheit und die Gleichheit aller. Weil aber Macht nicht beständig durch alle direkt ausgeübt werden kann, muss sie zeitweilig delegiert werden. Auch wenn diese Machtübertragung nur befristet, das heißt bis zu den nächsten Wahlen geschieht, so erheischt sie doch Kontrolle, damit der gemeinsame Wille derer bestimmend bleibt, die Macht übertragen haben, und nicht der Wille derer, die sie ausüben, sich verselbständigt. Manche machen an dieser Stelle halt und sagen: Wenn die Freiheit aller gesichert ist, dann ist das Ziel des Staates erreicht.

Auf diese Weise wird die Selbstverfügung des Individuums zum eigentlichen Ziel der Gemeinsamkeit erklärt; die Gemeinschaft habe eigentlich in sich gar keinen Wert, sondern sie wäre nur da, um den Einzelnen ihn selber sein zu lassen. Aber die inhaltslose Individualfreiheit, die so als höchstes Ziel erscheint, hebt sich selber auf, weil Einzelfreiheit nur in einer Ordnung der Freiheiten bestehen kann. Sie braucht ein Maß, sonst wird sie zur Gewalt gegen den anderen: Nicht ohne Grund führen diejenigen, die totalitäre Herrschaft anstreben, zunächst eine ordnungslose Freiheit der Einzelnen und einen Zustand des Kampfes aller gegen alle herbei, um sich dann mit ihrer Ordnung als die wahren Retter der Menschheit hinstellen zu können. *Freiheit bedarf also eines Inhalts.* Wir können ihn definieren als die Sicherung der Menschenrechte. Wir können ihn aber auch weitläufiger beschreiben als die Gewährleistung der Wohlfahrt des Ganzen wie des Gutes der Einzelnen: Der Beherrschte, das heißt derjenige, der Macht übertragen hat, „kann frei sein, wenn er in dem von den Herrschenden angestrebten Gemeingut sich selbst, das heißt sein eigenes Gut wiedererkennt"[1].

Durch diese Überlegung sind nun neben die Idee der Freiheit zwei weitere Begriffe getreten: das Recht und das Gute. Beide, das heißt die Freiheit als Lebensform der Demokratie und das Recht wie das Gute als ihr Inhalt, stehen in einer gewissen Spannung zueinander, die der wesentliche Gehalt des heutigen Ringens um die rechte Form von Demokratie und Politik überhaupt darstellt.

Freilich denken wir zunächst einmal vor allem an die Freiheit als das wahre Gut des Menschen; alle anderen Güter erscheinen uns heute eher strittig und allzu leicht zu missbrauchen. Wir wollen nicht, dass der Staat uns eine bestimmte Idee des Guten aufdränge. Das Problem wird noch deutlicher, wenn wir den Begriff des Guten durch den Begriff der Wahrheit verdeutlichen. Die Achtung der Freiheit jedes Einzelnen scheint uns heute ganz wesentlich darin zu bestehen, dass die Wahrheitsfrage nicht vom Staat entschieden wird: Wahrheit, also auch die Wahrheit über das Gute, erscheint nicht als gemeinschaftlich erkennbar. Sie ist strittig. Der Versuch, allen aufzuerlegen, was einem Teil der Bürger als Wahr-

---

[1] *H. Kuhn*, Der Staat. Eine philosophische Darstellung, München 1967, S. 60.

heit erscheint, gilt daher als Knechtung der Gewissen: Der Begriff Wahrheit ist in die Zone der Intoleranz und des Antidemokratischen gerückt. Sie ist kein öffentliches, sondern nur ein privates Gut bzw. ein Gut von Gruppen, aber eben nicht des Ganzen. Anders ausgedrückt: Der moderne Begriff von Demokratie scheint mit dem Relativismus unlöslich verbunden zu sein; der Relativismus aber erscheint als die eigentliche Garantie der Freiheit, gerade auch ihrer wesentlichen Mitte – der Religions- und Gewissensfreiheit.

Das ist heute uns allen durchaus einsichtig. Trotzdem stellt sich bei näherem Zusehen die Frage, ob es nicht doch einen nichtrelativistischen Kern auch in der Demokratie geben müsse: Ist sie denn nicht letztlich um die Menschenrechte herumgebaut, die unverletzlich sind, sodass gerade ihre Gewährung und Sicherung der tiefste Grund ist, warum Demokratie als nötig erscheint? Die Menschenrechte unterliegen nicht ihrerseits dem Pluralismus- und dem Toleranzgebot, sie *sind* der Inhalt der Toleranz und der Freiheit. Den anderen seines Rechtes zu berauben kann niemals Inhalt des Rechts werden und niemals Inhalt der Freiheit sein. Das bedeutet, dass ein Grundbestand an Wahrheit, nämlich an sittlicher Wahrheit, gerade für die Demokratie unverzichtbar zu sein scheint. Wir sprechen dabei heute lieber von Werten als von Wahrheit, um nicht mit dem Toleranzgedanken und dem demokratischen Relativismus in Konflikt zu geraten. Aber der eben gestellten Frage kann man durch diese terminologische Verschiebung nicht ausweichen, denn die Werte beziehen ihre Unantastbarkeit daraus, dass sie wahr sind und wahren Forderungen des menschlichen Wesens entsprechen.

Umso mehr erhebt sich nun die Frage: Wie kann man diese gemeinschaftlich gültigen Werte begründen? Oder, in der heutigen Sprache gesagt: Wie sind die Grundwerte zu begründen, die nicht dem Spiel von Mehrheit und Minderheit unterworfen sind? Woher kennen wir sie? Was ist dem Relativismus entzogen, warum und wie?

Diese Frage bildet das Zentrum im heutigen Disput der politischen Philosophie, in unserem Ringen um die wahre Demokratie. Man kann etwas vereinfachend sagen, dass sich zwei Grundpositionen gegenüberstehen, die in verschiedenen Varianten auftreten und dabei auch zum Teil einander begegnen. Auf der einen Seite finden wir die radikal relativistische Position, die den Begriff des Guten (und damit erst recht den des Wahren) aus der Politik ganz ausscheiden will, weil freiheitsgefährdend. „Naturrecht" wird als metaphysikverdächtig abgelehnt, um den Relativismus konsequent durchzuhalten: Es gibt danach letztlich kein anderes Prinzip des Politischen als die Entscheidung der Mehrheit, die im staatlichen Leben an die Stelle der Wahrheit trete. Recht könne nur rein politisch verstanden werden, das heißt Recht sei, was von den dazu befugten Organen als Recht gesetzt wird. Demokratie wird demgemäß nicht inhaltlich, sondern rein formal definiert: als ein Gefüge von Regeln, die Mehrheitsbildung, Machtübertragung und Machtwechsel ermöglichen. Sie bestünde dann wesentlich im Mechanismus von Wahl und Abstimmung.

Dieser Auffassung steht die andere These gegenüber, dass die Wahrheit nicht Produkt der Politik (der Mehrheit) ist, sondern ihr vorangeht und sie erleuchtet: Nicht die Praxis schafft Wahrheit, sondern die Wahrheit ermöglicht rechte Praxis. Politik ist dann gerecht und freiheitsfördernd, wenn sie einem Gefüge von Werten und Rechten dient, das uns von der Vernunft gezeigt wird. Gegenüber dem ausdrücklichen Skeptizismus der relativistischen und positivistischen Theorien finden wir also hier ein Grundvertrauen in die Vernunft, die Wahrheit zeigen kann[2].

Das Wesen beider Positionen lässt sich sehr gut am Prozess Jesu zeigen, nämlich an der Frage, die Pilatus dem Erlöser stellt: „Was ist Wahrheit?" (Joh 18, 38). Kein Geringerer als der herausragende Vertreter der streng relativistischen Position, der später nach Amerika emigrierte österreichische Rechtslehrer Hans Kelsen, hat in einer Meditation dieses biblischen Textes seine Auffassung unmissverständlich dargelegt[3].

---

[2] Diese Grundfrage der heutigen Debatte um das rechte Verständnis von Demokratie ist sehr erhellend dargestellt in dem Werk von *V. Possenti*, Le società liberali al bivio. Lineamenti di filosofia della società Genova 1991; siehe bes. S. 289ff.

[3] Ausführlich dazu *V. Possenti*, a.a.O., S. 315–345, bes. S. 345f. Zur Auseinandersetzung mit Kelsen auch hilfreich *H. Kuhn*, a.a.O., S. 41f.

Wir werden auf seine Philosophie des Politischen noch einmal zurückkommen müssen; begnügen wir uns einstweilen mit dem Blick darauf, wie er den biblischen Text auslegt.

Die Pilatus-Frage ist nach ihm Ausdruck für die notwendige Skepsis des Politikers. Darum ist die Frage irgendwie auch schon Antwort: Wahrheit ist unerreichbar. Dass Pilatus es so versteht, sieht man daran, dass er eine Antwort gar nicht erst abwartet, sondern sich stattdessen unmittelbar an die Menge wendet. So habe er nach Kelsen die Entscheidung des strittigen Falles dem Votum des Volkes unterworfen. Kelsen ist der Meinung, Pilatus habe hier als vollkommener Demokrat gehandelt. Da er nicht weiß, was gerecht ist, überlässt er es der Mehrheit, darüber zu entscheiden. Pilatus wird auf diese Weise in der Darstellung des österreichischen Gelehrten zur emblematischen Figur der relativistischen und skeptischen Demokratie, die sich nicht auf Werte und Wahrheit stützt, sondern auf Prozeduren. Dass im Falle Jesu ein unschuldiger Gerechter verurteilt wurde, scheint Kelsen nicht anzufechten. Es gibt eben keine andere Wahrheit als die der Mehrheit. Hinter sie zurückzufragen ist sinnlos. Kelsen geht an einer Stelle sogar so weit zu sagen, diese relativistische Gewissheit müsse man notfalls auch mit Blut und Tränen auferlegen; man müsse ihrer so sicher sein, wie Jesus seiner Wahrheit sicher war[4].

Ganz anders und gerade auch unter politischen Gesichtspunkten viel überzeugender ist die Auslegung die der große Exeget Heinrich Schlier von dem Text gegeben hat. Er tat dies in dem Augenblick in dem der Nationalsozialismus in Deutschland sich anschickte, die Macht zu ergreifen. Schliers Auslegung war ein bewusstes Gegenzeugnis gegen diejenigen Teile der evangelischen Christenheit, die bereit waren, Glaube und Volk auf dieselbe Ebene zu stellen[5]. Schlier macht darauf aufmerksam, das Jesus in dem Prozess die richterliche Vollmacht des von Pilatus vertretenen Staa-

---

[4] Vgl. *V. Possenti*, a.a.O., S. 336.
[5] *H. Schlier*, Die Beurteilung des Staates im Neuen Testament, zuerst 1932 gedruckt in: Zwischen den Zeiten; hier zitiert aus dem Sammelband *H. Schlier*, Die Zeit der Kirche, Freiburg i. Br. ²1958, S. 1–16; vgl. im selben Band, S. 56–74, den Beitrag: Jesus und Pilatus.

tes durchaus anerkennt. Er begrenzt sie aber zugleich dadurch, dass er sagt, solche Vollmacht habe Pilatus nicht aus sich selbst, sondern „von oben" (19, 11). Pilatus verfälscht seine Macht und so die Macht des Staates in dem Augenblick, in dem er sie nicht mehr als treuhänderische Verwaltung einer höheren, an der Wahrheit hängenden Ordnung wahrnimmt, sondern sie zu seinen eigenen Gunsten benützt. Der Statthalter fragt nicht mehr nach Wahrheit, sondern versteht Macht als reine Macht. „Sobald er also sich selbst legitimierte, lieh er dem Justizmord an Jesus seine Hand."[6]

2. Wozu Staat?

Die Fraglichkeit einer streng relativistischen Position ist damit wohl deutlich geworden. Auf der anderen Seite ist uns die Problematik einer Position, die Wahrheit auch für die demokratische Praxis als grundlegend und erheblich ansieht, heute wohl allen bewusst; zu tief ist uns die Furcht vor Inquisition und vor Vergewaltigung der Gewissen eingebrannt. Wie soll man diesem Dilemma entfliehen? Fragen wir zunächst einmal danach, was der Staat eigentlich ist; wozu er da ist und wozu nicht. Dann wollen wir einen Blick auf die verschiedenen Antworten zu dieser Frage werfen und schließlich versuchen, uns von ihnen aus zu einer abschließenden Antwort vorzutasten.

Was also ist der Staat? Wozu dient er? Wir könnten ganz schlicht sagen: Die Aufgabe des Staates ist es, „das menschliche Miteinander in Ordnung zu halten"[7], also einen solchen Ausgleich der Freiheit und der Güter zu schaffen, dass jeder ein menschenwürdiges Leben führen kann. Wir könnten auch sagen: Der Staat garantiert das Recht als die Bedingung der Freiheit und des gemeinsamen Wohlstands. Zum Staat gehört deshalb zum Einen, dass regiert werde; zum Anderen aber, dass dieses Regieren nicht einfach Ausübung von Macht, sondern Schutz des Rechtes eines jeden Einzel-

---

[6] *H. Schlier*, a.a.O., S. 3.
[7] Ebd., S. 11.

nen und des Wohlergehens aller sei. Nicht ist es Aufgabe des Staates, das Glück der Menschheit herbeizuführen, und nicht ist es daher seine Aufgabe, neue Menschen zu erschaffen. Es ist ferner nicht seine Aufgabe, die Welt in ein Paradies zu verwandeln, und er kann es auch nicht; wenn er es dennoch versucht, setzt er sich absolut und verlässt dann seine Grenzen. Er benimmt sich dann, als ob er Gott wäre, und er wird dadurch – wie die Apokalypse zeigt – zum Tier aus dem Abgrund, zur Macht des Antichrist.

Es ist in diesem Zusammenhang wichtig, zwei Bibeltexte immer beieinander zu halten, die sich nur scheinbar widersprechen, in Wirklichkeit aber wesentlich zueinander gehören: Römer 13 und Apokalypse 13. Der Römerbrief beschreibt den Staat in seiner geordneten Form – den Staat, der sich an seine Grenze hält und sich nicht selbst als Quelle von Wahrheit und Recht ausgibt. Paulus hat den Staat als Treuhänder der Ordnung vor Augen, der dem Menschen sein Einzelsein wie sein Gemeinsamsein ermöglicht. Diesem Staat gebührt der Gehorsam. Der Gehorsam gegen das Recht ist nicht Behinderung der Freiheit, sondern ihre Bedingung. Die Geheime Offenbarung zeigt demgegenüber den Staat, der sich selbst für Gott erklärt und aus Eigenem festlegt, was als gerecht und wahr zu gelten hat. Ein solcher Staat zerstört den Menschen. Er verneint sein eigentliches Wesen und kann daher auch keinen Gehorsam mehr einfordern[8].

Es ist bezeichnend, dass sowohl der Nationalsozialismus wie der Marxismus im Grunde den Staat und das Recht verneinten, die Bindung des Rechts als Unfreiheit erklärten und demgegenüber etwas Höheres zu setzen beanspruchten: den so genannten Volkswillen oder die klassenlose Gesellschaft, die den Staat ablösen sollte, der das Instrument der Hegemonie einer Klasse sei. Wenn so der Staat und seine Ordnung als Gegner der Absolutheit des Anspruchs der eigenen Ideologie betrachtet wurden, so war gerade in solcher Ablehnung etwas vom eigentlichen Wesen des Staates bewusst geblieben. Staat als Staat richtet eine relative Ordnung des Zusammenlebens auf, kann aber nicht allein die Antwort auf

---

[8] Vgl. *H. Schlier*, a.a.O., S. 3–7; S. 14–16.

die Frage der menschlichen Existenz geben. Er muss nicht nur Freiräume für ein Anderes und vielleicht Höheres offen lassen; er muss auch die Wahrheit über das Recht immer wieder von außen empfangen, da er sie nicht in sich selber trägt. Aber wie und von wo? Das ist die Frage, der wir uns nun endgültig stellen müssen.

3. Die gegensätzlichen Antworten auf die Fragen nach den Grundlagen der Demokratie

a) Die relativistische Theorie

Auf diese Fragen antworten, wie oben schon gesagt, zwei diametral einander entgegengesetzte Positionen, zwischen denen aber vermittelnde Auffassungen liegen. Die erste Ansicht, die des strengen Relativismus, ist uns schon in der Gestalt von Hans Kelsen begegnet. Für ihn kann die Beziehung zwischen Religion und Demokratie nur negativ sein. Das Christentum im Besonderen lehrt absolute Wahrheiten und Werte und steht damit im strikten Gegensatz zur notwendigen Skepsis der relativistischen Demokratie. Religion bedeutet für ihn Heteronomie der Person, während umgekehrt Demokratie ihre Autonomie beinhaltet. Das bedeutet auch, dass der Kernpunkt der Demokratie die Freiheit ist und nicht das Gute, das schon wieder als freiheitsgefährdend erscheint[9]. Heute ist wohl der amerikanische Rechtsphilosoph R. Rorty der bekannteste Vertreter dieser Sicht von Demokratie. Seine Fassung des Zusammenhangs von Demokratie und Relativismus drückt weitgehend das gegenwärtige Durchschnittsbewusstsein auch von Christen aus und verdient daher besondere Aufmerksamkeit. Für Rorty ist der einzige Maßstab, nach dem Recht geschaffen werden kann, das, was als Mehrheitsüberzeugung unter den Bürgern verbreitet ist: Eine andere Philosophie, eine andere Quelle des Rechts stehe der Demokratie nicht zur Verfügung. Freilich ist Rorty sich doch irgendwie des letzten Ungenügens eines bloßen Mehrheitsprinzips als Wahrheitsquelle bewusst; denn er meint, die pragmatische,

---

[9] Vgl. *V. Possenti*, a.a.O., S. 321.

an der Mehrheit orientierte Vernunft schließe immer einige intuitive Ideen mit ein, wie etwa die Ablehnung der Sklaverei[10]. Hier freilich täuscht er sich: Jahrhundertelang oder sogar jahrtausendelang hat das Mehrheitsempfinden diese Intuition nicht eingeschlossen, und niemand weiß, wie lange sie ihm erhalten bleiben wird. Hier waltet ein leerer Begriff von Freiheit, der sogar dahin geht, die Auflösung des Ich zu einem Phänomen ohne Zentrum und ohne Wesen sei notwendig, um unsere Intuition über den Vorrang der Freiheit konkret gestalten zu können. Wie aber, wenn einmal diese Intuition abhanden kommt? Wie aber, wenn sich eine Mehrheit gegen die Freiheit bildet und uns sagt, der Mensch sei der Freiheit nicht gewachsen, sondern wolle und solle geführt werden?

Der Gedanke, in der Demokratie könne nur die Mehrheit entscheiden und Rechtsquelle könnten nur die mehrheitsfähigen Überzeugungen der Bürger sein, hat zweifellos etwas Bestechendes an sich. Denn wann immer man etwas nicht von der Mehrheit Gewolltes und Entschiedenes für die Mehrheit verbindlich macht, scheint eben der Mehrheit ihre Freiheit abgesprochen und damit das Wesen der Demokratie verneint zu sein. Jede andere Theorie scheint einen Dogmatismus zu unterstellen, der die Selbstbestimmung unterläuft und damit Entmündigung der Bürger, Herrschaft von Unfreiheit wird.

Aber andererseits kann auch die Irrtumsfähigkeit der Mehrheit nicht bestritten werden, und ihre Irrtümer können sich nicht nur auf Peripheres beziehen, sondern auch grundlegende Güter in Frage stellen, sodass die Menschenwürde und die Menschenrechte nicht mehr gewährleistet sind, also das Wozu der Freiheit zu Fall kommt. Denn was Menschenrechte sind und worin Menschenwürde besteht, liegt keineswegs immer für die Mehrheit offen zutage. Dass sie verführbar und manipulierbar ist und dass Freiheit gerade im Namen der Freiheit zerstört werden kann, hat die Geschichte unseres Jahrhunderts dramatisch bewiesen. Bei Kelsen haben wir überdies gesehen, dass der Relativismus seinen eigenen Dogmatismus in sich trägt: Er ist sich seiner selbst so gewiss, dass

---

[10] Ebd. S. 293.

er auch denen auferlegt werden muss, die ihn nicht teilen. Im Letzten ist hier der Zynismus unausweichlich, den man bei Kelsen wie bei Rorty mit Händen greifen kann: Wenn die Mehrheit – wie etwa im Fall des Pilatus – immer Recht hat, dann muss das Recht mit Füßen getreten werden. Dann zählt im Grunde zuletzt die Macht des Stärkeren, der die Mehrheit für sich einzunehmen weiß.

b) Die metaphysische und christliche These

So gibt es eine strenge Gegenposition zu dem bisher betrachteten skeptischen Relativismus. Der Vater dieser anderen Sicht des Politischen ist Plato, der davon ausgeht, nur derjenige könne gut regieren, der selbst das Gute kennt und erfahren habe. Alle Herrschaft müsse Dienst sein, das heißt ein bewusstes Verzichten auf die gewonnene eigene kontemplative Höhe und ihre Freiheit. Sie müsse ein freiwilliges Zurückkehren in die „Höhle" sein, in deren Dunkel die Menschen leben. Nur dann entstehe wirkliche Regierung und nicht jenes Sich-Herumschlagen im Schein und mit dem Scheinhaften, das in der Mehrheit der Fälle die Politik charakterisiere: Die Blindheit der durchschnittlichen Politik sieht Plato darin, dass ihre Vertreter um Macht kämpfen, „als wäre sie ein großes Gut"[11]. Mit solchen Überlegungen geht Plato auf den biblischen Grundgedanken zu, dass Wahrheit nicht von der Politik produziert wird: Wenn die Relativisten dies meinen, rücken sie trotz des von ihnen gesuchten Primats der Freiheit in die Nähe der Totalitären. Die Mehrheit wird dann zu einer Art von Gottheit, gegen die es keine Appellation mehr geben kann.

Von solchen Einsichten her hat J. Maritain eine Philosophie des Politischen entwickelt, die die großen Intuitionen der Bibel für die Theorie des Politischen fruchtbar zu machen versucht. Wir brauchen hier auf die geschichtlichen Voraussetzungen dieser Philosophie nicht einzugehen, so lohnend es auch wäre. Man kann wohl in Kürze und damit natürlich auch sehr vereinfachend sagen, dass sich in der Neuzeit der Begriff der Demokratie auf zwei Wegen

---

[11] Der Staat VII 520 c; vgl. *V. Possenti,* a.a.O., S. 290; vgl. auch *H. Kuhn,* Plato, in: *H. Maier/H. Rausch/H. Denzer* (Hrsg.), Klassiker des politischen Denkens, München ³1969, S. 1–35.

und damit auch auf zwei unterschiedlichen Grundlagen gebildet hat. Im angelsächsischen Bereich ist Demokratie wenigstens zum Teil auf der Basis naturrechtlicher Traditionen und eines freilich ganz pragmatisch gefassten christlichen Grundkonsenses gedacht und verwirklicht worden[12]. Bei Rousseau hingegen ist sie gegen die christliche Überlieferung gewandt. Von ihm aus bildet sich dann der Strom einer im Gegensatz zum Christentum gedachten Konzeption des Demokratischen[13].

Maritain hat versucht, den Begriff der Demokratie wieder von Rousseau abzukoppeln sie – wie er sagt – von den freimaurerischen Dogmen des notwendigen Fortschritts, des anthropologischen Optimismus, der Vergöttlichung des Individuums und des Vergessens auf die Person zu lösen[14]. Für ihn kann das originäre Recht des Volkes auf Selbstregierung niemals das Recht sein, über alles zu entscheiden: „Regierung des Volks" und „Regierung für das Volk" gehören zusammen; es geht um das Gleichgewicht zwischen Volkswillen und Zielwerten des politischen Handelns. In diesem Sinn hat Maritain einen dreifachen Personalismus – den ontologischen, axiologischen und sozialen – entfaltet, worauf wir in diesem Zusammenhang nicht eingehen können[15].

Es ist klar, dass hier das Christentum als Quelle von Erkenntnis angesehen wird, die der politischen Aktion vorausgeht und sie erleuchtet. Um jeden Verdacht eines politischen Absolutismus des Christlichen auszuschließen, antwortet V. Possenti auf der Linie von Maritain, dass als Wahrheitsquelle für die Politik nicht etwa das Christentum als Offenbarungsreligion, sondern als Sauerteig und als geschichtlich bewährte Lebensform gemeint ist: Die Wahrheit über das Gute, die aus der christlichen Überlieferung kommt, wird auch für die Vernunft zur Einsicht und so zu einem vernünftigen Prinzip; nicht ist sie eine Vergewaltigung der Vernunft und der Politik durch irgendeinen Dogmatismus[16]. Natürlich ist dabei ein ge-

---

[12] Vgl. *H. Kuhn*, a.a.O., (s. Anm. 1), S. 263ff.
[13] Vgl. *R. Spaemann*, Rousseau – Bürger ohne Vaterland, München 1980.
[14] *V. Possenti*, a.a.O., S. 309.
[15] Vgl. ebd., S. 308–310.
[16] Ebd., S. 308ff.

wisser Optimismus hinsichtlich der Evidenz des Moralischen und des Christlichen vorausgesetzt, der von den Relativisten bestritten wird. Hier sind wir noch einmal am kritischen Punkt der Theorie des Demokratischen wie seiner christlichen Auslegung angelangt.

c) Evidenz des Moralischen? Mittlere Positionen

Es ist hilfreich, vor einem Antwortversuch einen Blick auf die mittleren Positionen zu werfen, die weder dem einen noch dem anderen Lager ganz zuzuordnen sind. V. Possenti nennt als Vertreter eines solchen mittleren Weges N. Bobbio, R. K. Popper und J. Schumpeter; als einen früheren Vorläufer eines solchen Weges könnte man den Cartesianer P. Bayle (1647–1706) ansehen. Bayle geht nämlich bereits von einer strikten Trennung der metaphysischen und der moralischen Wahrheit aus. Das politische Leben bedarf nach ihm der Metaphysik nicht. Ihre Fragen können strittig bleiben und erscheinen so als der Raum des von der Politik nicht berührten Pluralismus. Als Existenzgrundlage genügt für die staatliche Gemeinschaft die praktische Wahrheit. Was ihre Erkennbarkeit angeht, hängt allerdings Bayle einen Optimismus an, der uns im Lauf der weiteren Geschichte längst abhanden gekommen ist. In der zweiten Hälfte des 17. Jahrhunderts konnte Bayle noch denken, dass die moralische Wahrheit allen Menschen offen steht. Es gebe nur eine einzige, universale und notwendige Moral, die ein wahres und klares Licht sei, das alle Menschen wahrnehmen, sobald sie nur die Augen öffnen. Diese eine moralische Wahrheit kommt von Gott und muss der Bezugspunkt aller einzelnen Gesetze und Normen sein[17]. Bayle beschreibt damit einfach das Allgemeinbewusstsein seines Jahrhunderts: Die vom Christentum eröffneten moralischen Grundeinsichten standen so offenkundig und so unwidersprechlich vor aller Augen, dass man sie mitten im Streit der Konfessionen als die selbstverständliche Einsicht eines jeden vernünftigen Menschen ansehen konnte, als eine Evidenz der Vernunft, die von den Glaubensauseinandersetzungen der getrennten Christenheit nicht berührt wurde.

---

[17] Vgl. ebd., S. 291.

Aber was damals als zwingende Einsicht der von Gott geschenkten Vernunft erschien, behielt seine Evidenz doch nur, solange die ganze Kultur, der ganze Lebenszusammenhang von der christlichen Überlieferung geprägt war. In dem Maß, in dem sich der christliche Grundkonsens zersetzte und eine nackte Vernunft übrig blieb, die sich von keiner geschichtlichen Realität belehren lassen, sondern nur auf sich selber hören will, zerfiel auch die Evidenz des Moralischen. Die Vernunft, die ihre Wurzeln im Glauben einer geschichtlichen, religiösen Kultur abschnitt und nur noch empirische Vernunft sein wollte, wurde blind. Wo bloß noch das experimentell Verifizierbare als gemeinsame Gewissheit anerkannt wird, bleibt für die Wahrheiten, die über das rein Materielle hinausgehen, lediglich das Funktionieren, das heißt das Spiel von Mehrheit und Minderheit, als Maßstab übrig, das aber – wie wir gesehen haben – in seiner Isolierung notwendig zum Zynismus und zur Auflösung des Menschen wird. Das eigentliche Problem, vor dem wir heute stehen, ist die Blindheit der Vernunft für die ganze nicht-materielle Dimension der Wirklichkeit.

Begnügen wir uns damit, noch einen Blick auf die Sozialphilosophie K. Poppers zu werfen, von dem man vielleicht sagen darf, dass er die Grundvision Bayles in eine relativistische Zeit zu retten versucht. Zu Poppers Vision der offenen Gesellschaft gehört freie Diskussion und darüber hinaus Institutionen zum Schutz der Freiheit und zum Schutz der Benachteiligten. Die Werte, auf denen die Demokratie als beste Verwirklichungsform der offenen Gesellschaft beruht, werden durch einen moralischen Glauben erkannt: Sie sind nicht rational zu begründen, aber ein dem Voranschreiten der Wissenschaft ähnlicher Prozess von Kritik und Einsicht führt doch zu einer Annäherung an die Wahrheit. Die Prinzipien der Gesellschaft können demnach nicht begründet, nur diskutiert werden. Am Ende muss man darüber entscheiden[18].

Wie man sieht, mischen sich in dieser Vision viele Elemente. Einerseits sieht Popper, dass es im Prozess der freien Diskussion keine Evidenz der moralischen Wahrheit gibt, andererseits aber

---

[18] Ebd., S. 301.

wird sie für ihn doch in einer Art von vernünftigem Glauben fassbar. Für Popper ist klar, dass das Mehrheitsprinzip nicht unbegrenzt gelten kann. Bayles große Idee der gemeinsamen Vernunftgewissheit in Sachen Moral ist hier zusammengeschrumpft zu einem durch Diskussion sich vorantastenden Glauben, der immerhin, wenn auch auf unsicherem Boden, Grundelemente moralischer Wahrheit öffnet und sie dem reinen Funktionalismus entzieht. Das Ganze abwägend dürfen wir wohl sagen, dass auch dieser schmale verbliebene Rest vernünftiger moralischer Grundgewissheit nicht aus der puren Vernunft hervorgeht, sondern auf einem immer noch vorhandenen Rest von Einsichten aus christlich-jüdischer Herkunft beruht. Längst ist auch dieser Rest nicht mehr unbestrittene Gewissheit, aber ein Minimum Morale ist in der sich auflösenden christlichen Kultur noch irgendwie zugänglich geblieben.

Bevor wir uns an den Versuch einer Antwort wagen, blicken wir zurück. Abzulehnen ist der absolute Staat, der sich als Quelle von Wahrheit und Recht setzt. Abzulehnen ist aber auch der strikte Relativismus und Funktionalismus, weil die Erhebung der Wahrheit zur einzigen Quelle des Rechts die moralische Würde des Menschen bedroht und tendenziell zum Totalitären hinneigt. Die Spannweite annehmbarer Theorien würde demgemäß von Maritain bis Popper reichen, wobei Maritain ein Maximum von Vertrauen zur vernünftigen Evidenz der moralischen Wahrheit des Christlichen und seines Menschenbildes vertritt, während wir bei Popper vor dem wohl gerade noch ausreichenden Minimum stehen, um den Sturz in den Positivismus abzufangen.

Ich möchte nun nicht neben oder zwischen diesen Autoren eine neue Theorie über das Verhältnis von Staat und moralischer Wahrheit darbieten, sondern nur versuchen, die Erkenntnisse zusammenzufassen, die uns auf dem bisherigen Weg begegnet sind. Sie könnten eine Art Plattform sein, auf der sich politische Philosophien treffen, die in irgendeiner Form das Christentum und seine moralische Botschaft als Bezugspunkt politischen Handelns ansehen, ohne dabei die Grenzen zwischen Politik und Glauben zu verwischen.

4. Zusammenfassung und Ergebnisse

Mir scheint, das Ergebnis unseres Rundgangs durch die moderne Debatte lasse sich in folgenden sieben Aussagen zusammenfassen:

1. Der Staat ist nicht selbst Quelle von Wahrheit und Moral: Nicht aus einer ihm etwa eigenen, auf Volk oder Rasse oder Klasse oder sonst eine Größe gegründeten Ideologie, und auch nicht auf dem Weg über die Mehrheit kann er Wahrheit selbst aus sich hervorbringen. Der Staat ist nicht absolut.

2. Das Ziel des Staates kann aber nicht in einer bloßen inhaltslosen Freiheit liegen; um eine sinnvolle und lebbare Ordnung des Miteinander zu begründen, braucht er ein Mindestmaß an Wahrheit, an Erkenntnis des Guten, die nicht manipulierbar ist. Andernfalls wird er, wie Augustinus sagt, auf die Stufe einer gut funktionierenden Räuberbande herabsinken, weil er wie diese nur vom Funktionalen her bestimmt wäre und nicht von der Gerechtigkeit, die gut ist für alle.

3. Der Staat muss demgemäß das für ihn unerlässliche Maß an Erkenntnis und Wahrheit über das Gute von außerhalb seiner selbst nehmen.

4. Dieses „Außerhalb" könnte günstigstenfalls die reine Einsicht der Vernunft sein, die etwa von einer unabhängigen Philosophie zu pflegen und zu hüten wäre. Praktisch aber gibt es eine solche reine, von der Geschichte unabhängige Vernunftevidenz nicht. Metaphysische und moralische Vernunft wird nur in historischem Zusammenhang wirksam, hängt von ihm ab und überschreitet ihn zugleich. Faktisch haben alle Staaten aus ihnen vorausliegenden religiösen Überlieferungen, die zugleich moralische Erziehung waren, die moralische Vernunft erkannt und angewandt. Die Vernunftoffenheit und das Maß an Erkenntnis des Guten ist freilich in den historischen Religionen sehr verschieden, wie auch die Art des Miteinander von Staat und Religion verschieden ist. Die Versuchung zur Identifizierung und damit zur religiösen Verabsolutierung des Staats, die zugleich die Religion korrumpiert, ist in der ganzen Geschichte anwesend. Aber es gibt durchaus auch positive Modelle einer Beziehung zwischen religiös gegründeter mora-

lischer Erkenntnis und staatlicher Ordnung. Man darf sogar sagen, dass sich in den großen religiösen und staatlichen Bildungen ein Grundkonsens über wichtige Elemente des moralisch Guten zeigt, der auf eine gemeinsame Vernünftigkeit verweist.

5. Als am meisten universale und rationale religiöse Kultur hat sich der christliche Glaube erwiesen, der auch heute der Vernunft jenes Grundgefüge an moralischer Einsicht darbietet, das entweder zu einer gewissen Evidenz führt oder wenigstens einen vernünftigen moralischen Glauben begründet, ohne den eine Gesellschaft nicht bestehen kann.

6. Demgemäß kommt dem Staat – wie wir schon sagten – das, was ihn wesentlich trägt, von außen zu, nicht aus einer bloßen Vernunft, die im moralischen Bereich nicht ausreicht, sondern aus einer in historischer Glaubensgestalt gereiften Vernunft. Es ist wesentlich, dass dieser Unterschied nicht aufgehoben wird: Die Kirche darf sich nicht selbst zum Staat erheben oder als Machtorgan in ihm oder über ihn wirken wollen. Dann macht sie sich selbst zum Staat und bildet so den absoluten Staat, den sie gerade ausschließen soll. Sie würde durch die Verschmelzung mit dem Staat das Wesen des Staates und ihr eigenes Wesen zerstören.

7. Die Kirche bleibt für den Staat ein „Außen". Nur dann sind beide, was sie sein sollen. Sie muss ebenso an ihrem Ort und an ihrer Grenze bleiben wie der Staat. Sie muss sein Eigenwesen und seine eigene Freiheit respektieren, gerade damit sie ihm den Dienst tun kann, dessen er bedarf. Sie muss aber auch alle Kraft aufbieten, damit in ihr jene moralische Wahrheit leuchtet, die sie dem Staat anbietet und die für die Bürger des Staates einsichtig werden soll. Nur wenn in ihr selbst diese Wahrheit Kraft hat und die Menschen formt, kann sie auch andere überzeugen und eine Kraft für das Ganze werden[19].

---

[19] In diese Richtung gehen die Reflexionen Solowjews zu Kirche und Staat, die neu bedacht zu werden verdienen, auch wenn die Idee der „Theokratie" in der von Solowjew entwickelten Form nicht haltbar ist. Vgl. La grande controverse et la politique chrétienne, Paris 1953, S. 129–168.

5. Schlussbetrachtung: Himmel und Erde

Damit gewinnt eine christliche Lehre wieder Bedeutung, die in unserem Jahrhundert kaum noch zu Wort gekommen ist. Sie drückt sich aus in dem paulinischen Satz: „Unser Staatswesen ist im Himmel" (Phil 3, 20)[20]. Das Neue Testament hat diese Überzeugung mit großem Nachdruck vertreten. Für die neutestamentlichen Schriftsteller ist die Stadt im Himmel nicht bloß eine ideale, sondern eine durchaus reale Größe – die neue Heimat, auf die wir zugehen. Sie ist das innere Maß, unter dem wir leben, die Hoffnung, die uns in der Gegenwart trägt. Die neutestamentlichen Schriftsteller wissen, dass es diese Stadt schon jetzt gibt und dass wir ihr jetzt schon zugehören, auch wenn wir noch auf dem Wege sind. Der Brief an die Hebräer hat diesen Gedanken mit besonderer Eindringlichkeit ausgefaltet: „Wir haben hier keine bleibende Stadt, sondern die künftige suchen wir" (13, 14). Von der schon jetzt wirkenden Gegenwart dieser Stadt sagt er: „Ihr seid hinzugetreten zum Berge Zion und zur Stadt des lebendigen Gottes, dem himmlischen Jerusalem" (12, 22). Für die Christen gilt demnach wieder, was von den Patriarchen Israels gesagt wurde: Sie sind Fremdlinge und Mitwohner, denn nach dem künftigen Vaterland streben sie (11, 13–16).

Solche Texte hat man seit langem nicht mehr gerne zitiert, weil sie den Menschen der Erde zu entfremden und ihn von seinem innerweltlichen, auch politischen Auftrag abzuhalten scheinen. „Brüder, bleibt der Erde treu", hatte Nietzsche in unser Jahrhundert hineingerufen, und die große marxistische Strömung hat uns eingehämmert, dass wir keine Zeit für den Himmel zu verlieren haben: Den Himmel lassen wir den Spatzen, meinte Bert Brecht. Wir aber kümmern uns um die Erde und machen sie wohnlich.

In Wahrheit ist es gerade diese „eschatologische" Haltung, die dem Staat sein eigenes Recht garantiert und zugleich dem Absolutismus wehrt, indem sie die Grenzen sowohl des Staates wie der Kirche in der Welt aufzeigt. Denn wo diese Grundhaltung einge-

---

[20] Vgl. zum Folgenden *H. Schlier*, a.a.O., S. 7ff.

nommen wird, da weiß die Kirche, dass sie hier nicht selbst Staat sein kann. Da weiß sie, dass das endgültige Staatswesen anderswo ist und dass sie nicht auf Erden den Gottesstaat aufrichten kann. Sie respektiert den irdischen Staat als eine eigene Ordnung der geschichtlichen Zeit, mit ihren Rechten und Gesetzen, die sie anerkennt. Sie fordert daher das loyale Mitleben und Mitwirken mit dem irdischen Staat auch da, wo er kein christlicher Staat ist (Röm 13, 1; 1 Petr 2, 13–17; 1 Tim 2, 2). Indem sie so einerseits loyale Mitwirkung im Staatswesen und die Respektierung seiner Eigenart wie seiner Grenzen fordert, erzieht sie auch zu jenen Tugenden, die einen Staat gut werden lassen. Zugleich aber setzt sie der Allmacht des Staats eine Barriere: Weil man „Gott mehr gehorchen muss als den Menschen" (Apg 5, 29) und weil sie aus Gottes Wort weiß, was das Gute und das Böse ist, ruft sie zum Widerstand da, wo das eigentliche Böse, das Gottwidrige befohlen würde. Das Zugehen auf die andere Stadt entfremdet nicht, sondern es ist in Wirklichkeit die Voraussetzung dafür, dass wir gesunden und dass unsere Staaten gesunden. Denn wenn die Menschen nichts zu erwarten haben, als was ihnen diese Welt bietet, und wenn sie dies alles vom Staat verlangen dürfen und müssen, zerstören sie sich selbst und jedwedes Gemeinwesen. Wenn wir nicht erneut in die Fänge des Totalitarismus geraten wollen, müssen wir über den Staat hinausschauen, der ein Teil und nicht das Ganze ist. Hoffnung auf den Himmel steht nicht gegen die Treue zur Erde, sie ist die Hoffnung auch für die Erde. Auf das Größere und Endgültige hoffend, dürfen und müssen wir Christen auch ins Vorläufige, in unsere Staatenwelt hinein Hoffnung tragen.

Zweites Kapitel

Was ist Europa?
Grundlagen und Perspektiven

I
Europas Identität

Seine geistigen Grundlagen
gestern, heute, morgen

Europa – was ist das eigentlich? Diese Frage wurde in einem der Sprachzirkel der römischen Bischofssynode über Europa von Kardinal Glemp immer wieder nachdrücklich gestellt: Wo beginnt, wo endet Europa? Warum gehört zum Beispiel Sibirien nicht zu Europa, obwohl es doch weitgehend von Europäern bewohnt wird, die auch auf durchaus europäische Weise denken und leben? Und wo verliert sich Europa im Süden der russischen Staatengemeinschaft? Wo läuft im Atlantik seine Grenze? Welche Inseln sind Europa, welche nicht und warum nicht? In diesen Gesprächen wurde völlig klar, dass „Europa" nur ganz sekundär ein geographischer Begriff ist: Europa ist kein geographisch deutlich fassbarer Kontinent, sondern ein kultureller und historischer Begriff.

1. Die Entstehung Europas

Das zeigt sich ganz evident, wenn wir auf die Ursprünge Europas zurückzugehen versuchen. Wer vom Ursprung Europas redet, verweist gewöhnlich auf Herodot (ca. 484-425 vor Christus), der wohl als erster Europa als geographischen Begriff kennt und es so definiert: „Die Perser sehen Asien mit seinen Völkern als ihr Land an. Europa und das Land der Griechen, meinen sie, liegt vollkommen außerhalb ihrer Grenzen."[1] Die Grenzen Europas selbst wer-

---

[1] Herodot, Historien (Hg. Feix), 1. Bd. S. 8 (München 1977); hier zitiert nach *E. Chargaff*, Ein zweites Leben. Autobiographische und andere Texte, Stuttgart 1995, S. 166.

den nicht angegeben, aber es ist klar, dass Kernlande des heutigen Europa völlig außerhalb des Blickfelds des antiken Historikers lagen. In der Tat hatte sich mit der Ausbildung der hellenistischen Staaten und des Römischen Reiches ein „Kontinent" gebildet, der zur Grundlage des späteren Europa wurde, aber ganz andere Grenzen aufwies: Es waren die Länder rund um das Mittelmeer, die durch ihre kulturelle Verbundenheit, durch Verkehr und Handel, durch ein gemeinsames politisches System miteinander einen wirklichen „Kontinent" bildeten. Erst der Siegeszug des Islam hat im 7. und im beginnenden 8. Jahrhundert eine Grenze durch das Mittelmeer gezogen, es sozusagen in der Mitte durchgeschnitten, so dass, was bisher *ein* Kontinent gewesen war, sich nunmehr in drei Kontinente teilte: Asien, Afrika, Europa.

Im Osten vollzog sich die Umbildung der alten Welt langsamer als im Westen: Das Römische Reich mit Konstantinopel als Mittelpunkt hielt dort – wenn auch immer weiter zurückgedrängt – bis ins 15. Jahrhundert hinein stand.[2] Während die Südseite des Mittelmeers um das Jahr 700 endgültig aus dem bisherigen Kulturkontinent herausgefallen ist, vollzieht sich zur selben Zeit eine immer stärkere Ausdehnung nach Norden. Der Limes, der bisher eine kontinentale Grenze gewesen war, verschwindet und öffnet sich in einen neuen Geschichtsraum hinein, der nun Gallien, Germanien, Britannien als eigentliche Kernlande umgreift und sich zusehends nach Skandinavien ausstreckt. In diesem Prozess der Verschiebung der Grenzen wurde die ideelle Kontinuität mit dem vorangehenden, geographisch anders bemessenen mittelmeerischen Kontinent durch eine geschichtstheologische Konstruktion gewahrt: Im Anschluss an das Buch Daniel sah man das durch den christlichen Glauben erneuerte und verwandelte Römische Reich als das letzte und bleibende Reich der Weltgeschichte überhaupt an und definierte daher das sich konstituierende Völker- und Staatengebilde als das bleibende Sacrum Imperium Romanum.

---

[2] Einen weitgespannten Durchblick durch die Gestaltwerdung Europas in Ort und Wert bietet *P. Brown*, Die Entstehung des christlichen Europa, München 1996; englisches Original: Divergent Christendoms: The Emergence of a Christian Europe, 200 – 1000 AD, Oxford[8] 1995.

Dieser Prozess einer neuen geschichtlichen und kulturellen Identifizierung ist unter Karl dem Großen ganz bewusst vollzogen worden, und hier taucht nun auch wieder das alte Wort Europa in verwandelter Bedeutung auf: Diese Vokabel wurde nun geradezu als Bezeichnung für das Reich Karls des Großen gebraucht und drückte zugleich das Bewusstsein der Kontinuität und der Neuheit aus, mit dem sich das neue Staatengefüge als die eigentlich zukunftstragende Kraft auswies – zukunftstragend, gerade weil es sich in der Kontinuität der bisherigen Geschichte und letztlich im Immerwährenden verankert begriff.[3] In dem so sich bildenden Selbstverständnis ist ebenso das Bewusstsein der Endgültigkeit wie das Bewusstsein einer Sendung ausgedrückt. Der Begriff Europa ist zwar nach dem Ende des Karolingischen Reiches wieder weitgehend verschwunden und nur in der Gelehrtensprache erhalten geblieben; in die Populärsprache geht er erst zu Beginn der Neuzeit – wohl im Zusammenhang mit der Türkengefahr als Weise der Selbstidentifizierung – über, um sich allgemein im 18. Jahrhundert durchzusetzen. Unabhängig von dieser Wortgeschichte bedeutet die Konstituierung des Frankenreiches als des nie untergegangenen und nun neu geborenen Römischen Reiches in der Tat den entscheidenden Schritt auf das zu, was wir heute meinen, wenn wir von Europa sprechen.[4]

Freilich dürfen wir nicht vergessen, dass es auch noch eine zweite Wurzel Europas, eines nicht westlichen, nicht abendländischen Europa gibt: Das Römische Reich hatte ja, wie schon gesagt, in Byzanz über die Stürme der Völkerwanderung und der Islamischen Invasion hin standgehalten. Byzanz verstand sich als das wirkliche Rom; hier war das Reich in der Tat nicht untergegangen, weshalb man auch weiterhin Anspruch auf die westliche Reichshälfte erhob. Auch dieses östliche Römische Reich hat sich weit nach Norden, in die slawische Welt hinein ausgedehnt und eine eigene, griechisch-römische Welt geschaffen, die sich von dem la-

---

[3] Vgl. *H. Gollwitzer*, Europa, Abendland, in: J. Ritter (Hg.), Historisches Wörterbuch der Philosophie II, Sp. 824-826; *F. Prinz*, Von Konstantin zu Karl dem Großen, Düsseldorf 2000.
[4] Vgl. *Gollwitzer*, a.a.O. 826.

teinischen Europa des Westens durch die andere Liturgie, die andere Kirchenverfassung, durch die andere Schrift und durch den Verzicht auf das Latein als gemeinsame Bildungssprache unterscheidet.

Freilich gibt es auch genug verbindende Elemente, die die zwei Welten doch zu einem gemeinsamen Kontinent machen können: An erster Stelle das gemeinsame Erbe der Bibel und der alten Kirche, das übrigens in beiden Welten über sich hinausweist auf einen Ursprung, der nun außerhalb Europas, in Palästina liegt; dazu die gemeinsame Reichsidee, das gemeinsame Grundverständnis der Kirche und damit auch die Gemeinsamkeit grundlegender Rechtsvorstellungen und rechtlicher Instrumente; schließlich würde ich auch das Mönchtum erwähnen, das in den großen Erschütterungen der Geschichte der wesentliche Träger nicht nur der kulturellen Kontinuität, sondern vor allem der grundlegenden religiösen und sittlichen Werte, der letzten Orientierungen des Menschen geblieben ist und als vorpolitische und überpolitische Kraft zum Träger der immer wieder nötigen Wiedergeburten wurde.[5]

Zwischen den beiden Europen gibt es mitten in der Gemeinsamkeit des wesentlichen kirchlichen Erbes allerdings doch noch einen tiefreichenden Unterschied, auf dessen Bedeutung besonders Endre von Ivánka hingewiesen hat: In Byzanz erscheinen Reich und Kirche nahezu miteinander identifiziert; der Kaiser ist das Haupt auch der Kirche. Er versteht sich als Stellvertreter Christi, und im Anschluss an die Gestalt des Melchisedek, der König und Priester zugleich war (Gen 14,18), führt er seit dem 6. Jahrhundert den offiziellen Titel „König und Priester".[6] Dadurch dass das Kaisertum seit Konstantin aus Rom abgewandert war, konnte sich in der alten Reichshauptstadt die selbständige Stellung des römischen Bischofs als Nachfolger Petri und Oberhaupt der Kirche entwickeln; hier wird schon seit Beginn der konstantinischen Ära ei-

---

[5] Aus der reichen Literatur zum Thema Mönchtum nenne ich hier nur *H. Fischer*, Die Geburt der westlichen Zivilisation aus dem Geist des romanischen Mönchtums, München1969; *F. Prinz*, Askese und Kultur. Vor- und frühbenediktinisches Mönchtum an der Wiege Europas, München 1980.

[6] E. von Ivánka, Rhomäerreich und Gottesvolk (Freiburg-München 1968).

ne Dualität der Gewalten gelehrt: Kaiser und Papst haben je getrennte Vollmachten, keiner verfügt über das Ganze. Papst Gelasius I. (492-496) hat die Sicht des Westens in seinem berühmten Brief an Kaiser Anastasius und noch deutlicher in seinem vierten Traktat formuliert, wo er der byzantinischen Melchisedek-Typologie gegenüber betont, dass die Einheit der Gewalten ausschließlich in Christus liege. „Dieser selbst hat nämlich wegen der menschlichen Schwäche (superbia!) für spätere Zeiten die beiden Ämter getrennt, damit sich niemand überhebe (c. 11)." Für die Dinge des ewigen Lebens bedürfen die christlichen Kaiser der Priester (pontifices), und diese wiederum halten sich für den zeitlichen Lauf der Dinge an die kaiserlichen Verfügungen. Die Priester müssen in weltlichen Dingen den Gesetzen des durch göttliche Ordnung eingesetzten Kaisers folgen, während dieser sich in göttlichen Dingen dem Priester zu unterwerfen habe.[7]

Damit ist eine Gewaltentrennung und -unterscheidung eingeführt, die für die folgende Entwicklung Europas von höchster Bedeutung wurde und sozusagen das eigentlich Abendländische grundgelegt hat. Weil auf beiden Seiten entgegen solchen Abgrenzungen immer der Totalitätsdrang, das Verlangen nach der Überordnung der eigenen Macht über die andere lebendig blieb, ist dieses Trennungsprinzip auch zum Quell unendlicher Leiden geworden. Wie es

---

[7] Belege und Literatur bei U. Duchrow, Christenheit und Weltverantwortung, Stuttgart 1970, S. 328ff. Reiches Material zur Frage bietet H. Rahner, Kirche und Staat im frühen Christentum (München 1961). St. Horn macht mich auf einen wichtigen Text von Leo d. Gr. aufmerksam, der dem Schreiben des Papstes vom 22. 5. 452 an den Kaiser entnommen ist, mit dem er den später so genannten Kanon 28 von Chalkedon (Primatstellung von Konstantinopel neben Rom aufgrund des Sitzes des Kaisers in der Stadt) zurückweist: Habeat sicut optamus Constantinopolitana civitas gloriam suam, et protegente Dei dextera diuturno clementiae vestrae fruatur imperio, alia tamen ratio est rerum saecularium alia divinarum, nec praeter illam petram quam Dominus in fundamento posuit stabilis erit ulla constructio (LME II [37] 55,52-56; vgl. ACO II / IV S. 56). Vgl. zur Problematik auch A. Michel, Der Kampf um das politische oder petrinische Prinzip der Kirchenführung, in: A. Grillmeier – H. Bacht, Das Konzil von Chalkedon, Bd. II Entscheidung um Chalkedon, Würzburg 1953, S. 491-562; im selben Band auch der Beitrag von Thomas O. Martin über den Kanon 28 von Chalkedon, S. 433-458.

recht zu leben und politisch wie religiös zu gestalten ist, bleibt ein grundlegendes Problem auch für das Europa von heute und von morgen.

2. Der Umbruch in die Neuzeit hinein

Wenn wir nach dem bisher Gesagten die Entstehung des Karolingischen Reiches einerseits, das Fortbestehen des Römischen Reiches in Byzanz und seine Slawenmission andererseits als die eigentliche Geburt des „Kontinents" Europa ansehen dürfen, so bedeutet für die beiden Europen der Beginn der Neuzeit einen Umbruch, der sowohl das Wesen dieses Kontinents wie seine geographischen Umrisse betrifft. 1453 wurde Konstantinopel von den Türken erobert. O. Hiltbrunner kommentiert dazu lakonisch: „Die letzten … Gelehrten wanderten … nach Italien aus und vermittelten den Humanisten der Renaissance die Kenntnis der griechischen Originale; der Osten aber versank in Kulturlosigkeit."[8] Das mag etwas schroff formuliert sein, weil ja auch das Osmanische Reich seine Kultur hatte; richtig ist, dass die christlich-griechische, „europäische" Kultur von Byzanz damit ein Ende fand.

So drohte damit der eine Flügel Europas zu verschwinden, aber das byzantinische Erbe war nicht tot: Moskau erklärt sich zum dritten Rom, bildet nun selbst ein eigenes Patriarchat auf der Basis der Idee einer zweiten translatio imperii und stellt sich damit als eine neue Metamorphose des Sacrum Imperium dar – als eine eigene Form von Europa, das doch dem Westen verbunden blieb und sich immer mehr an ihm orientierte, bis schließlich Peter der Große es zu einem westlichen Land zu machen versuchte. Diese Nordverschiebung des byzantinischen Europa brachte es mit sich, dass nun auch die Grenzen des Kontinents weit nach Osten in Bewegung kamen. Die Festlegung des Ural als Grenze ist durchaus willkürlich, jedenfalls wurde die Welt östlich davon immer mehr zu einer Art Hinterhaus Europas, weder Asien noch Europa, vom

---

[8] In: Kleines Lexikon der Antike, München 1950, S. 102.

Subjekt Europa wesentlich geformt, ohne selbst an seinem Subjektcharakter teilzunehmen: Objekt und nicht selber Träger seiner Geschichte. Vielleicht ist damit überhaupt das Wesen eines Kolonialstatus definiert.

Wir können also bezüglich des byzantinischen, nicht abendländischen Europa zu Beginn der Neuzeit von einem doppelten Vorgang sprechen: Auf der einen Seite steht das Erlöschen des alten Byzanz mit seiner historischen Kontinuität zum Römischen Reich; auf der anderen Seite erhält dieses zweite Europa mit Moskau eine neue Mitte und weitet seine Grenze nach Osten hin aus, um schließlich in Sibirien eine Art kolonialen Vorbau einzurichten. Gleichzeitig können wir im Westen ebenfalls einen doppelten Vorgang mit weitreichender historischer Bedeutung konstatieren. Ein großer Teil der germanischen Welt reißt sich los von Rom; eine neue, aufgeklärte Art des Christentums entsteht, so dass durch das „Abendland" von nun an eine Trennlinie verläuft, die deutlich auch einen kulturellen Limes, eine Grenze zweier unterschiedlicher Denk- und Verhaltensweisen bildet. Freilich gibt es auch innerhalb der protestantischen Welt Risse, zum einen zwischen Lutheranern und Reformierten, denen sich Methodisten und Presbyterianer zugesellen, während die Anglikanische Kirche einen Mittelweg zwischen katholisch und evangelisch auszubilden versucht; dazu kommt dann auch die Differenz zwischen staatskirchlich geformtem Christentum, das für Europa kennzeichnend wird und Freikirchen, die ihren Zufluchtsraum in Nordamerika finden, worüber noch zu sprechen sein wird.

Achten wir zunächst noch auf den zweiten Vorgang, der die neuzeitliche Situation des ehemals lateinischen Europa wesentlich umprägt: die Entdeckung Amerikas. Der Osterweiterung Europas durch die fortschreitende Ausdehnung von Russland nach Asien entspricht der radikale Ausbruch Europas aus seinen geographischen Grenzen in die Welt jenseits des Ozean, die nun den Namen Amerika empfängt; die Teilung Europas in eine lateinisch-katholische und eine germanisch-protestantische Hälfte überträgt sich auf diesen von Europa mit Beschlag belegten Erdteil. Auch Amerika wird zunächst zu einem erweiterten Europa, zur „Kolonie", schafft sich aber gleichzeitig mit der Erschütterung Europas durch die Französische Revolution seinen eigenen Subjektcharakter: Vom 19. Jahrhundert an steht es, wenngleich tief von seiner europäischen Geburt geprägt, Europa doch als eigenes Subjekt gegenüber.

Bei dem Versuch, durch den Blick auf die Geschichte die innere Identität Europas zu erkennen, haben wir jetzt *zwei grundlegende geschichtliche Umbrüche* anvisiert: als erstes die Ablösung des alten mediterranen Kontinents durch den weiter nördlich angesetzten Kontinent des Sacrum Imperium, in dem sich seit der Karolingischen Epoche „Europa" als westlich-lateinische Welt bildet; daneben das Fortbestehen des alten Rom in Byzanz mit seinem Ausgriff in die slawische Welt. Wir hatten als zweiten Schritt den Fall von Byzanz und die damit erfolgende Nord- und Ost-Verschiebung des christlichen Reichsgedankens auf der einen Seite Europas beobachtet, auf der anderen Seite die innere Teilung Europas in germanisch-protestantische und lateinisch-katholische Welt, dazu den Ausgriff nach Amerika, auf das sich diese Teilung überträgt und das sich schließlich als eigenes, Europa gegenüberstehendes geschichtliches Subjekt konstituiert.

Nun müssen wir einen dritten Umbruch ins Auge fassen, dessen weithin sichtbares Fanal die Französische Revolution bildete. Zwar war das Sacrum Imperium schon seit dem späten Mittelalter als politische Realität in Auflösung begriffen und auch als tragende Geschichtsdeutung immer brüchiger geworden, aber jetzt erst zerbricht auch formell dieser geistige Rahmen, ohne den sich Europa nicht hätte bilden können. Dies ist sowohl in realpolitischer wie in ideeller Hinsicht ein Vorgang von erheblicher Tragweite. In ideeller Hinsicht bedeutet dies, dass die sakrale Fundierung der Geschichte und der staatlichen Existenz abgeworfen wird: Die Geschichte misst sich nicht mehr an einer ihr vorausliegenden und sie formenden Idee Gottes; der Staat wird nunmehr rein säkular betrachtet, auf Rationalität und Bürgerwillen gegründet. Erstmals in der Geschichte überhaupt entsteht der rein säkulare Staat, der die göttliche

Verbürgung und Normierung des Politischen als mythische Welt-ansicht ablegt und Gott selbst zur Privatsache erklärt, die nicht ins Öffentliche der gemeinsamen Willensbildung gehört. Die wird nun allein als Sache der Vernunft angesehen, für die Gott nicht ein-deutig erkennbar erscheint: Religion und Glaube an Gott gehören dem Bereich des Fühlens, nicht der Vernunft zu. Gott und sein Wil-le hören auf, öffentlich relevant zu sein.

Auf diese Weise entsteht mit dem ausgehenden 18. und dem beginnenden 19. Jahrhundert eine neue Art von Glaubensspaltung, deren Ernst wir zusehends zu fühlen bekommen. Sie hat im Deut-schen keinen Namen, weil sie hier sich langsamer ausgewirkt hat. In den lateinischen Sprachen wird sie als Spaltung zwischen „Chris-ten" und „Laien" bezeichnet. Diese Spannung ist in den letzten zwei Jahrhunderten als ein tiefer Riss durch die lateinischen Na-tionen gegangen, während das protestantische Christentum es zu-nächst leichter hatte, liberalen und aufgeklärten Ideen in seinem Inneren Raum zu geben, ohne dass der Rahmen eines weitläufi-gen christlichen Grundkonsenses dabei hätte gesprengt werden müssen.

Die realpolitische Seite der Ablösung der alten Reichsidee besteht darin, dass nun definitiv die Nationen, die durch die Ausbildung einheitlicher Sprachräume als solche identifizierbar geworden waren, als die eigentlichen und einzigen Träger der Geschichte erscheinen, also einen Rang erhalten, der ihnen vorher so nicht zugekommen war. Die explosive Dramatik dieses nun pluralen Ge-schichtssubjekts zeigt sich darin, dass sich doch die großen euro-päischen Nationen mit einer universalen Sendung betraut wuss-ten, die notwendig zum Konflikt zwischen ihnen führen musste, dessen tödliche Wucht wir in dem nun verflossenen Jahrhundert leidvoll erfahren haben.

3. Die Universalisierung
der europäischen Kultur
und ihre Krise

Schließlich ist da aber noch ein weiterer Vorgang zu bemerken, mit dem sich die Geschichte der letzten Jahrhunderte deutlich in ein neues hinein überschreitet. Hatte das alte vorneuzeitliche Europa in seinen beiden Hälften wesentlich nur *ein* Gegenüber gekannt, mit dem es sich auf Leben und Tod auseinanderzusetzen hatte, nämlich die islamische Welt; hatte die neuzeitliche Wende die Ausweitung nach Amerika und in Teile Asiens ohne eigene große Kultursubjekte gebracht, so erfolgt nun der Ausgriff auf die beiden bisher nur marginal berührten Kontinente: Afrika und Asien, die man jetzt ebenfalls zu Ablegern Europas, zu „Kolonien" umzugestalten versuchte. Bis zu einem gewissen Grad ist das auch gelungen, insofern jetzt auch Asien und Afrika dem Ideal der technisch geprägten Welt und ihres Wohlstands nacheifern, so dass auch dort die alten religiösen Überlieferungen in eine Situation der Krise eintreten und rein säkular denkende Schichten immer mehr das öffentliche Leben beherrschen.

Aber es gibt auch eine Gegenwirkung: Die Renaissance des Islam ist nicht nur mit dem neuen materiellen Reichtum islamischer Länder verbunden, sondern auch von dem Bewusstsein gespeist, dass der Islam eine tragfähige geistige Grundlage für das Leben der Völker zu bieten vermöge, die dem alten Europa abhanden gekommen zu sein scheint, das so trotz seiner noch währenden politischen und wirtschaftlichen Macht immer mehr zum Abstieg und zum Untergang verurteilt angesehen wird. Auch die großen religiösen Traditionen Asiens, vor allem seine im Buddhismus ausgedrückte mystische Komponente erheben sich als geistige Kräfte gegen ein Europa, das seine religiösen und sittlichen Grundlagen verneint. Der Optimismus über den Sieg des Europäischen, den Arnold Toynbee noch zu Beginn der sechziger Jahre vertreten konnte, erscheint heute seltsam überholt: „Von 28 Kulturen, die wir identifiziert haben ... sind 18 tot und neun von den verbliebenen zehn – alle in der Tat außer unserer – zeigen, dass sie bereits niedergebrochen sind."[9] Wer würde das heute so noch sagen mögen? Und überhaupt – was ist das, „unsere" Kultur, die noch geblieben ist? Ist die siegreich über die Welt ausgebreitete Zivilisation der Technik und des Kommerzes die europäische Kultur? Oder ist sie nicht eher posteuropäisch aus dem Ende der alten europäischen Kulturen geboren? Ich sehe da eine paradoxe Synchronie: Mit dem Sieg der posteuropäischen technisch-säkularen Welt, mit der Universalisierung ihres Lebensmusters und ihrer Denkweise verbindet sich weltweit, besonders aber in den streng nicht-europäischen Welten Asiens und Afrikas der Eindruck, dass die Wertewelt Europas, seine Kultur und sein Glaube, worauf seine Identität beruhten, am Ende und eigentlich schon abgetreten sei; dass nun die Stunde der Wertesysteme anderer Welten, des präkolumbianischen Amerika, des Islam, der asiatischen Mystik gekommen sei. Europa scheint in dieser Stunde seines äußersten Erfolgs von innen her leer geworden, gleichsam von einer lebensbedrohenden Kreislaufkrise gelähmt, sozusagen auf Transplantate angewiesen, die dann aber doch seine Identität aufheben müssen. Diesem inneren Absterben der tragenden seelischen Kräfte entspricht es, dass auch ethnisch Europa auf dem Weg der Verabschiedung begriffen erscheint.

Es gibt eine seltsame Unlust an der Zukunft. Kinder, die Zukunft sind, werden als Bedrohung der Gegenwart angesehen; sie nehmen uns etwas von unserem Leben weg, so meint man. Sie werden weithin nicht als Hoffnung, sondern als Grenze der Gegenwart empfunden. Der Vergleich mit dem untergehenden Römischen Reich drängt sich auf, das als großer geschichtlicher Rahmen noch funktionierte, aber praktisch schon von denen lebte, die es auflösen sollten, weil es selbst keine Lebenskraft mehr hatte.

---

[9] *A.J. Toynbee*, Der Gang der Weltgeschichte II: Kulturen im Übergang, Zürich-Stuttgart-Wien 1958, S. 370; hier zitiert nach *J. Holdt*, Hugo Rahner. Sein geschichtstheologisches Denken, Paderborn 1997, S. 53. Besonders der Abschnitt „Philosophische Besinnung auf das Abendland" (S. 52-61) bietet wichtiges Material zur Frage nach Europa.

Damit sind wir bei den Problemen der Gegenwart angelangt. Über die mögliche Zukunft Europas gibt es zwei gegensätzliche Diagnosen. Da ist auf der einen Seite die These von Oswald Spengler, der für die großen Kulturgestalten eine Art von naturgesetzlichem Verlauf glaubte feststellen zu können: Es gibt den Augenblick der Geburt, den allmählichen Aufstieg, die Blütezeit einer Kultur, ihr langsames Ermüden, Altern und Tod. Spengler belegt seine These eindrucksvoll aus der Geschichte der Kulturen, in der man dieses Verlaufsgesetz nachzeichnen kann. Seine These war, dass das Abendland in seiner Spätphase angelangt sei, die allen Beschwörungen zum Trotz unausweichlich auf den Tod dieses kulturellen Kontinents hinausläuft. Natürlich kann er seine Gaben an eine neu aufsteigende Kultur weiterreichen, wie es in früheren Untergängen geschehen ist, aber als dieses Subjekt habe er seine Lebenszeit hinter sich.

Diese als biologistisch gebrandmarkte These hat zwischen den beiden Weltkriegen besonders im katholischen Raum leidenschaftliche Bestreiter gefunden; eindrucksvoll ist ihr auch Arnold Toynbee entgegengetreten, freilich mit Postulaten, die heute wenig Gehör finden.[10] Toynbee stellt die Differenz zwischen materiellem-technischem Fortschritt einerseits, wirklichem Fortschritt andererseits heraus, den er als Vergeistigung definiert. Er räumt ein, dass sich das Abendland – die „westliche Welt" – in einer Krise befindet, deren Ursache er im Abfall von der Religion zum Kult der Technik, der Nation und des Militarismus sieht. Die Krise heißt für ihn letztlich: Säkularismus. Wenn man die Ursache der Krise kennt, kann man auch den Weg der Heilung angeben: Das religiöse Moment muss neu eingeführt werden, wozu für ihn das religiöse Erbe aller Kulturen gehört, besonders aber das, „was vom abendländischen Christentum übriggeblieben ist."[11] Der biologistischen tritt hier eine vo-

---

[10] *O. Spengler*, Der Untergang des Abendlandes. 2 Bde. München[1] 1918-1922. Zum Disput um seine These bei *J. Holdt* das Kapitel „Die abendländische Bewegung zwischen den Weltkriegen", S. 13-17. Die Auseinandersetzung mit Spengler ist z.B. auch ein durchgehendes Motiv in dem für die Zwischenkriegszeit grundlegenden moralphilosophischen Werk von *Th. Steinbüchel*, Die philosophische Grundlegung der katholischen Sittenlehre, 2 Bde., Düsseldorf [1]1938; [3]1947.

[11] Vgl. *Holdt*, a.a.O., S. 54.

luntaristische Sicht entgegen, die auf die Kraft schöpferischer Minderheiten und herausragender Einzelpersönlichkeiten setzt.

Es stellt sich die Frage: Ist die Diagnose richtig? Und wenn – liegt es in unserer Macht, das religiöse Moment neu einzuführen, in einer Synthese aus Restchristentum und religiösem Menschheitserbe? Letztlich bleibt die Frage zwischen Spengler und Toynbee offen, weil wir nicht in die Zukunft schauen können. Aber unabhängig davon stellt sich die Aufgabe, nach dem zu fragen, was Zukunft gewähren kann und was die innere Identität Europas in allen geschichtlichen Metamorphosen weiterzuführen vermag. Oder noch einfacher: was auch heute und morgen die Menschenwürde und ein ihr gemäßes Dasein zu schenken verspricht.

Um darauf Antwort zu finden, müssen wir noch einmal in unsere Gegenwart hineinblicken und zugleich ihre geschichtlichen Wurzeln gegenwärtig halten.

Wir waren vorhin bei der Französischen Revolution und dem 19. Jahrhundert stehen geblieben. In dieser Zeit haben sich vor allem zwei neue „europäische" Modelle entwickelt. Da steht bei den lateinischen Nationen das laizistische Modell: Der Staat ist streng geschieden von den religiösen Körperschaften, die in den privaten Bereich verwiesen sind. Er selber lehnt ein religiöses Fundament ab und weiß sich allein auf die Vernunft und ihre Einsichten gegründet. Angesichts der Fragilität der Vernunft haben sich diese Systeme als brüchig und diktaturanfällig erwiesen; sie überleben eigentlich nur, weil Teile des alten moralischen Bewusstseins auch ohne die vorigen Grundlagen weiterbestehen und einen moralischen Basiskonsens ermöglichen.

Auf der anderen Seite stehen im germanischen Raum in unterschiedlicher Weise die staatskirchlichen Modelle des liberalen Protestantismus, in denen eine aufgeklärte, wesentlich als Moral gefasste christliche Religion – auch mit staatlich verbürgten Kultformen – den moralischen Konsens und eine weit gespannte religiöse Grundlage verbürgt, der sich die einzelnen nicht staatlichen Religionen anzupassen haben. Dieses Modell hat in Groß-Britannien, in den skandinavischen Staaten und zunächst auch im preußisch dominierten Deutschland staatlichen und gesellschaftlichen Zusammenhalt über lange Zeit hin verbürgt. In Deutschland allerdings hat der Zusammenbruch des preußischen Staatskirchentums ein Vakuum geschaffen, das sich dann ebenfalls als Leerraum für eine Diktatur anbot. Heute sind die Staatskirchen überall von der Auszehrung befallen: Von religiösen Körpern, die Derivate des Staates sind, geht keine moralische Kraft aus, und der Staat selbst kann moralische Kraft nicht schaffen, sondern muss sie voraussetzen und auf ihr aufbauen.

Zwischen den beiden Modellen stehen die Vereinigten Staaten von Nordamerika, die einerseits – auf freikirchlicher Grundlage geformt – von einem strikten Trennungsdogma ausgehen, andererseits über die einzelnen Denominationen hinweg doch tief von einem nicht konfessionell geprägten protestantisch-christlichen Grundkonsens geprägt wurden, der sich mit einem besonderen Sendungsbewusstsein religiöser Art der übrigen Welt gegenüber verband und so dem religiösen Moment ein bedeutendes öffentliches Gewicht gab, das als vorpolitische und überpolitische Kraft für das politische Leben bestimmend sein konnte. Freilich darf man sich nicht verbergen, dass auch in den Vereinigten Staaten die Auflösung des christlichen Erbes unablässig voranschreitet, während gleichzeitig die schnelle Zunahme des spanischen Elements und die Anwesenheit religiöser Traditionen aus aller Welt das Bild verändert. Vielleicht muss man hier doch auch anmerken, dass die Vereinigten Staaten die Protestantisierung Lateinamerikas, also die Ablösung der katholischen Kirche durch freikirchliche Formen unübersehbar fördern, aus der Überzeugung heraus, dass die katholische Kirche keine stabilen Wirtschafts- und politischen Systeme gewährleisten könne, insofern also als Erzieherin der Nationen versage, während man erwartet, dass das freikirchliche Modell einen ähnlichen moralischen Konsens und demokratische Willensbildung ermöglichen werde, wie sie für die Vereinigten Staaten charakteristisch sind. Um das Bild weiter zu komplizieren, muss man hinzunehmen, dass heute die katholische Kirche die größte Religionsgemeinschaft in den Vereinigten Staaten bildet, dass sie in ihrem Glaubensleben ganz entschieden zur katholischen Identität steht, dass aber die Katholiken hinsichtlich des Verhältnisses von Kirche und Politik die freikirchlichen Traditionen in dem Sinn aufgenommen haben, dass gerade eine nicht dem Staat verschmolzene Kirche die moralischen Grundlagen des Ganzen besser gewährleistet, so dass die Förderung des demokratischen Ideals als eine tief dem Glauben gemäße moralische Verpflichtung erscheint. Man kann in einer solchen Position mit gutem Recht eine zeitgemäße Fortführung des Modells von Papst Gelasius sehen, von dem ich oben gesprochen hatte.

Kehren wir nach Europa zurück. Zu den zwei Modellen, von denen wir vorher sprachen, hat sich noch im 19. Jahrhundert ein drittes gesellt, nämlich der Sozialismus, der sich alsbald in zwei unterschiedliche Wege aufteilte, den totalitären und den demokratischen. Der demokratische Sozialismus hat sich von seinem Ausgangspunkt her als ein heilsames Gegengewicht gegenüber den radikal liberalen Positionen in die beiden bestehenden Modelle einzufügen vermocht, sie bereichert und auch korrigiert. Er erwies sich dabei auch als die Konfessionen übergreifend: In England war er die Partei der Katholiken, die sich weder im protestantisch-konservativen noch im liberalen Lager zu Hause fühlen konnten. Auch im wilhelminischen Deutschland konnte sich das katholische Zentrum weithin dem demokratischen Sozialismus näher fühlen als den streng preußisch protestantischen konservativen Kräften. In vielem stand und steht der demokratische Sozialismus der katholischen Soziallehre nahe, jedenfalls hat er zur sozialen Bewusstseinsbildung erheblich beigetragen.

Das totalitäre Modell hingegen verband sich mit einer streng materialistischen und atheistischen Geschichtsphilosophie: Die Geschichte wird deterministisch als ein Prozess des Fortschritts über die religiöse und die liberale Phase hin zur absoluten und endgültigen Gesellschaft verstanden, in der Religion als Relikt der Vergangenheit überwunden sein und das Funktionieren der materiellen Bedingungen das Glück aller gewährleisten wird. Die scheinbare Wissenschaftlichkeit verbirgt einen intoleranten Dogmatismus: Der Geist ist Produkt der Materie; die Moral ist

Produkt der Umstände und muss je nach den Zwecken der Gesellschaft definiert und praktiziert werden; alles, was der Herbeiführung des glücklichen Endzustandes dient, ist moralisch. Hier ist die Umwertung der Werte, die Europa gebaut hatten, vollständig. Mehr, hier vollzieht sich ein Bruch mit der gesamten moralischen Tradition der Menschheit: Es gibt keine von den Zwecken des Fortschritts unabhängigen Werte mehr, alles kann im gegebenen Augenblick erlaubt oder sogar notwendig, im neuen Sinn moralisch sein. Auch der Mensch kann zum Mittel werden; nicht der einzelne zählt, sondern einzig die Zukunft wird zur grausamen Gottheit, die über alle und alles verfügt.

Die kommunistischen Systeme sind inzwischen zunächst an ihrer falschen ökonomischen Dogmatik gescheitert. Aber man übersieht allzu gern, dass sie tieferhin an ihrer Menschenverachtung, an ihrer Unterordnung der Moral unter die Bedürfnisse des Systems und seine Zukunftsverheißungen zugrunde gegangen sind. Die eigentliche Katastrophe, die sie hinterlassen haben, ist nicht wirtschaftlicher Natur; sie besteht in der Verwüstung der Seelen, in der Zerstörung des moralischen Bewusstseins. Ich sehe ein wesentliches Problem unserer Stunde für Europa und für die Welt darin, dass zwar nirgends das wirtschaftliche Scheitern bestritten wird und daher Altkommunisten ohne Zögern zu Wirtschaftsliberalen geworden sind; hingegen wird die moralische und religiöse Problematik, um die es eigentlich ging, fast völlig verdrängt. Insofern besteht die vom Marxismus hinterlassene Problematik auch heute fort: Die Auflösung der Urgewissheiten des Menschen über Gott, über sich selbst und über das Universum – die Auflösung des Bewusstseins moralischer Werte, die nie zur Disposition stehen, ist noch immer und gerade jetzt wieder unser Problem und kann zur Selbstzerstörung des europäischen Bewusstseins führen, die wir – unabhängig von Spenglers Untergangsvision – als eine reale Gefahr ins Auge fassen müssen.[12]

---

[12] Hier drängt sich mir der Hinweis auf ein Wort von E. Chargaff (a.a.O. 168) auf: „Wo ein jeder frei ist, dem anderen das Fell über die Ohren zu ziehen, also zum Beispiel in der freien Marktwirtschaft, bekommen wir die Marsyasgesellschaft, eine Gesellschaft von blutenden Leichen."

4. Wo stehen wir heute?

So stehen wir vor der Frage: Wie soll es weitergehen? Gibt es in den gewaltigen Umbrüchen unserer Zeit eine Identität Europas, die Zukunft hat und zu der wir von innen her stehen können? Für die Väter der europäischen Einigung nach den Verwüstungen des Zweiten Weltkriegs – Adenauer, Schumann, de Gasperi – war es klar, dass es eine solche Grundlage gibt und dass sie im christlichen Erbe unseres durch das Christentum gewordenen Kontinents besteht. Für sie war klar, dass die Zerstörungen, mit denen uns die Nazidiktatur und die Diktatur Stalins konfrontierten, gerade auf der Abstoßung dieser Grundlage beruhten – auf einer Hybris, die sich dem Schöpfer nicht mehr unterwarf, sondern beanspruchte, selbst den besseren, den neuen Menschen zu schaffen und die schlechte Welt des Schöpfers umzumontieren in die gute Welt, die aus dem Dogmatismus der eigenen Ideologie entstehen sollte. Für sie war klar, dass diese Diktaturen, die eine ganz neue Qualität des Bösen hervorbrachten, weit über alle Greuel des Krieges hinaus, auf der gewollten Abschaffung Europas beruhten und dass man wieder zu dem zurückkehren müsse, was diesem Kontinent in allen Leiden und Verfehlungen seine Würde gegeben hatte.

Der anfängliche Enthusiasmus der neuen Zuwendung zu den großen Konstanten des christlichen Erbes ist schnell verflogen, und die europäische Einigung hat sich dann zunächst fast ausschließlich unter wirtschaftlichen Aspekten vollzogen, unter weitgehender Ausklammerung der Frage nach den *geistigen Grundlagen* einer solchen Gemeinschaft.

In den letzten Jahren ist das Bewusstsein dafür wieder gewachsen, dass die wirtschaftliche Gemeinschaft der europäischen Staaten auch einer Grundlage gemeinsamer Werte bedarf: Das Anwachsen der Gewalt, die Flucht in die Droge, das Zunehmen der Korruption lässt uns sehr fühlbar werden, dass der Werteverfall durchaus auch materielle Folgen hat und dass Gegensteuerung notwendig ist. Ich möchte hier nicht in eine Diskussion der inzwischen vorliegenden europäischen Verfassung eintreten, aber drei wesentliche Elemente benennen, die meiner Überzeugung nach dort nicht fehlen dürfen, wenn sie ihrem Auftrag gerecht werden will, der sich bildenden gemeinschaftlichen Gestalt Europas, seinem politischen und wirtschaftlichen Handeln, die moralische Grundlage zu geben, derer sie bedarf und die den großen Imperativen ihrer Geschichte entspricht.

Das erste ist die Unbedingtheit, mit der Menschenwürde und Menschenrechte als Werte erscheinen müssen, die jeder staatlichen Rechtssetzung vorangehen. Günter Hirsch hat mit Recht betont, dass diese Grundrechte nicht vom Gesetzgeber geschaffen noch den Bürgern verliehen werden, „vielmehr existieren sie aus eigenem Recht, sie sind seit je vom Gesetzgeber zu respektieren, ihm vorgegeben als übergeordnete Werte."[13] Diese allem politischen Handeln und Entscheiden vorangehende Gültigkeit der Menschenwürde verweist letztlich auf den Schöpfer: Nur er kann Rechte setzen, die im Wesen des Menschen gründen und für niemanden zur Disposition stehen. Insofern ist hier wesentlich christliches Erbe in seiner besonderen Art von Gültigkeit kodifiziert. Dass es Werte gibt, die für niemanden manipulierbar sind, ist die eigentliche Gewähr unserer Freiheit und menschlicher Größe; der Glaube sieht darin das Geheimnis des Schöpfers und der von ihm dem Menschen verliehenen Gottebenbildlichkeit. So schützt dieser Satz ein Wesenselement der christlichen Identität Europas in einer auch dem Ungläubigen verstehbaren Formulierung.

Nun wird heute kaum jemand direkt die Vorgängigkeit der Menschenwürde und der grundlegenden Menschenrechte vor allen politischen Entscheiden verleugnen; zu kurz liegen noch die Schrecknisse des Nazismus und seiner Rassenlehre zurück. Aber im konkreten Bereich des sogenannten medizinischen Fortschritts gibt es sehr reale Bedrohungen dieser Werte: Ob wir an die Klonation, an die Vorratshaltung menschlicher Föten zum Zweck der Forschung und der Organspende, an den ganzen Bereich der genetischen Manipulation denken – die stille Auszehrung der Menschenwürde, die hier droht, kann niemand übersehen. Dazu kommen in wach-

---

[13] G. Hirsch, Ein Bekenntnis zu den Grundwerten, in: FAZ 12. 10. 2000.

sendem Maß der Menschenhandel, neue Formen der Sklaverei, das Geschäft mit menschlichen Organen zum Zweck der Transplantation. Immer werden natürlich „gute Zwecke" vorgebracht, um das zu rechtfertigen, was nicht zu rechtfertigen ist.

Fassen wir zusammen: Die Festschreibung von Wert und Würde des Menschen, von Freiheit, Gleichheit und Solidarität mit den Grundsätzen der Demokratie und der Rechtsstaatlichkeit schließt ein Menschenbild, eine moralische Option und eine Idee des Rechts ein, die sich keineswegs von selbst verstehen, aber in der Tat grundlegende Identitätsfaktoren Europas sind, die auch in ihren konkreten Konsequenzen verbürgt werden müssten und freilich nur verteidigt werden können, wenn sich ein entsprechendes moralisches Bewusstsein immer neu bildet.

Ich komme zu einem zweiten Punkt, der für die europäische Identität wesentlich ist: *Ehe und Familie.* Die monogame Ehe ist als grundlegende Ordnungsgestalt des Verhältnisses von Mann und Frau und zugleich als Zelle staatlicher Gemeinschaftsbildung vom biblischen Glauben her geformt worden. Sie hat Europa, dem abendländischen wie dem östlichen, sein besonderes Gesicht und seine besondere Menschlichkeit gegeben, auch und gerade weil die damit vorgezeichnete Form von Treue und von Verzicht immer wieder neu leidvoll errungen werden musste. Europa wäre nicht mehr Europa, wenn diese Grundzelle seines sozialen Aufbaus verschwände oder wesentlich verändert würde. Wir alle wissen, wie sehr Ehe und Familie heute gefährdet sind – zum einen durch die Aushöhlung ihrer Unauflöslichkeit durch immer leichtere Formen der Scheidung, zum anderen durch ein sich immer mehr ausbreitendes neues Verhalten, das Zusammenleben von Mann und Frau ohne die rechtliche Form der Ehe.

In krassem Gegensatz dazu steht das Verlangen homosexueller Lebensgemeinschaften, die nun paradoxerweise eine Rechtsform verlangen, die mehr oder weniger der Ehe gleichgestellt werden soll. Mit dieser Tendenz tritt man aus der gesamten moralischen Geschichte der Menschheit heraus, die bei aller Verschiedenheit der Rechtsformen der Ehe doch immer wusste, dass diese ihrem Wesen nach das besondere Miteinander von Mann und Frau ist, das sich auf Kinder hin und so auf die Familie hin öffnet. Hier geht es nicht um Diskriminierung, sondern um die Frage, was der Mensch als Mann und Frau ist und wie das Miteinander von Mann und Frau recht geformt werden kann. Wenn einerseits ihr Miteinander sich immer mehr von rechtlichen Formen löst, wenn andererseits homosexuelle Gemeinschaft immer mehr der Ehe gleichrangig angesehen wird, stehen wir vor einer Auflösung des Menschenbildes, deren Folgen nur äußerst gravierend sein können. Dazu fehlt leider ein klares Wort in der Charta.

Mein letzter Punkt betrifft den religiösen Bereich. Es würde den Rahmen der hier möglichen Ausführungen überschreiten, die großen Fragen zu diskutieren, um die in diesem Bereich gerungen wird. So beschränke ich mich auf *einen* Punkt, der für alle Kulturen grundlegend ist: die Ehrfurcht vor dem, was dem anderen heilig ist und die Ehrfurcht vor dem Heiligen überhaupt, vor Gott, die sehr wohl auch demjenigen zumutbar ist, der selbst nicht an Gott zu glauben bereit ist. Wo diese Ehrfurcht zerbrochen wird, geht in einer Gesellschaft Wesentliches zugrunde. In unserer gegenwärtigen Gesellschaft wird gottlob jemand bestraft, der den Glauben Israels, sein Gottesbild, seine großen Gestalten verhöhnt. Es wird auch jemand bestraft, der den Koran und die Grundüberzeugungen des Islam herabsetzt. Wo es dagegen um Christus und um das Heilige der Christen geht, erscheint die Meinungsfreiheit als das höchste Gut, das einzuschränken die Toleranz und die Freiheit überhaupt gefährden oder gar zerstören würde. Meinungsfreiheit findet aber ihre Grenze darin, dass sie Ehre und Würde des anderen nicht zerstören darf; sie ist nicht Freiheit zur Lüge oder zur Zerstörung von Menschenrechten. Hier gibt es einen merkwürdigen und nur als pathologisch zu bezeichnenden Selbsthass des Abendlandes, das sich zwar lobenswerterweise fremden Werten verstehend zu öffnen versucht, aber sich selbst nicht mehr mag, von seiner eigenen Geschichte nur noch das Grausame und Zerstörerische sieht, das Große und Reine aber nicht mehr wahrzunehmen vermag.

Europa braucht, um zu überleben, eine neue – gewiss kritische und demütige – Annahme seiner selbst, wenn es überleben will. Die immer wieder leidenschaftlich geforderte Multikulturalität ist manchmal vor allem Absage an das Eigene, Flucht vor dem Eigenen. Aber Multikulturalität kann ohne gemeinsame Konstanten, ohne Richtpunkte des Eigenen nicht bestehen. Sie kann ganz sicher nicht ohne Ehrfurcht vor dem Heiligen bestehen. Zu ihr gehört es, dem Heiligen des anderen ehrfürchtig zu begegnen, aber dies können wir nur, wenn uns das Heilige, Gott, selbst nicht fremd ist.

Gewiss, wir können und sollen vom Heiligen der anderen lernen, aber es ist gerade vor den anderen und für die anderen unsere Pflicht, selbst in uns die Ehrfurcht vor dem Heiligen zu nähren und das Gesicht des Gottes zu zeigen, der uns erschienen ist – des Gottes, der sich der Armen und Schwachen, der Witwen und Waisen, des Fremden annimmt; des Gottes, der so menschlich ist, dass er selbst ein Mensch werden wollte, ein leidender Mensch, der mit uns mitleidend dem Leiden Würde und Hoffnung gibt. Wenn wir dies nicht tun, verleugnen wir nicht nur die Identität Europas, sondern versagen auch den anderen einen Dienst, auf den sie Anspruch haben. Den Kulturen der Welt ist die absolute Profanität, die sich im Abendland herausgebildet hat, zutiefst fremd. Sie sind überzeugt, dass eine Welt ohne Gott keine Zukunft hat. Insofern ruft uns gerade die Multikulturalität wieder zu uns selber zurück.

Wie es mit Europa weitergehen wird, wissen wir nicht. Die Charta der Grundrechte kann ein erster Schritt sein, dass es wieder bewusst seine Seele sucht. Toynbee ist darin Recht zu geben, dass das Schicksal einer Gesellschaft immer wieder von schöpferischen Minderheiten abhängt. Die gläubigen Christen sollten sich als eine solche schöpferische Minderheit verstehen und dazu beitragen, dass Europa das Beste seines Erbes neu gewinnt und damit der ganzen Menschheit dient.

II
Gemeinsame Identität und gemeinsames Wollen

Chancen und Gefahren für Europa

Was ist Europa? Was kann und soll es sein im Ganzen der geschichtlichen Bewegung, in der wir uns am Beginn des dritten christlichen Jahrtausends befinden? Die Suche nach einer gemeinsamen Identität und nach einem gemeinsamen Willen Europas ist nach dem Zweiten Weltkrieg in ein neues Stadium eingetreten. Nach den zwei selbstmörderischen Kriegen, die in der ersten Hälfte des 20. Jahrhunderts Europa verwüstet und die ganze Welt in Mitleidenschaft gezogen hatten, war klar geworden, dass alle europäischen Staaten Verlierer dieses grausamen Dramas waren und dass alles getan werden musste, um seine nochmalige Wiederholung zu verhindern.

1. Statt trennender Nationalismen, eine gemeinsame Identität

Europa war immer schon ein Kontinent der Kontraste gewesen, von vielfältigen Konflikten erschüttert. Das 19. Jahrhundert hatte dann die Ausbildung der Nationalstaaten mit sich gebracht, deren konkurrierende Interessen dem zerstörerischen Gegeneinander eine neue Dimension gegeben hatten. Das Werk des europäischen Zusammenschlusses war im Wesentlichen von zwei Motivationen bestimmt. Gegenüber den trennenden Nationalismen und gegenüber den hegemonistischen Ideologien, die im Zweiten Weltkrieg das Gegeneinander radikalisiert hatten, sollte das gemeinsame kulturelle, moralische und religiöse Erbe Europas das Bewusstsein seiner Nationen prägen und als die gemeinsame Identität aller seiner Völker den Weg des Friedens, einen gemeinsamen Weg in die

Zukunft eröffnen. Es ging um eine europäische Identität, die die nationalen Identitäten nicht auslöschen und nicht leugnen, aber sie doch in einer höheren Gemeinsamkeit zu einer einzigen Völkergemeinschaft verbinden sollte. Die gemeinsame Geschichte sollte als Frieden stiftende Kraft aktiviert werden. Es ist kein Zweifel, dass bei den Gründervätern der europäischen Einigung das christliche Erbe als Kern dieser geschichtlichen Identität angesehen wurde, natürlich nicht in konfessionellen Formen; das Gemeinchristliche schien über die konfessionellen Grenzen hinweg als verbindende Kraft weltlichen Handelns durchaus erkennbar. Es wurde auch nicht als unvereinbar mit den großen moralischen Impulsen der Aufklärung angesehen, die sozusagen die rationale Seite des Christlichen herausgestellt hatten und bei allen historischen Gegensätzen durchaus mit den wesentlichen Impulsen der christlichen Geschichte Europas vereinbar schien. Im einzelnen ist dieses das Drama der konfessionellen Spaltungen und das Ringen der Aufklärung umspannende Bewusstsein wohl nie ganz deutlich geklärt worden; insofern blieben hier Fragen stehen, die der Bearbeitung harren. Im Augenblick des Aufbruchs war aber die Überzeugung von der Vereinbarkeit der großen Bauelemente des europäischen Erbes stärker als die Fragen, die sich dabei ergaben.

Mit diesem historischen und moralischen Element, das am Anfang des europäischen Zusammenschlusses stand, verband sich aber auch eine zweite Motivation. Die europäische Vorherrschaft über die Welt, die sich besonders im Kolonialsystem und den entsprechenden wirtschaftlichen wie politischen Verflechtungen ausgedrückt hatte, war mit dem Ende des Zweiten Weltkriegs definitiv zerbrochen: In diesem Sinn hatte Europa als Ganzes den Krieg verloren. Amerika stand nun als beherrschende Macht auf der Bühne der Weltgeschichte, aber auch das geschlagene Japan wurde zu einer ebenbürtigen Wirtschaftsmacht, und schließlich bildete die Sowjetunion mit ihren Satellitenstaaten ein Imperium, auf das sich vor allem die Staaten der dritten Welt gegenüber Amerika und Westeuropa zu stützen versuchten.

In dieser neuen Situation konnten die einzelnen europäischen Staaten nicht mehr als ebenbürtige Partner auftreten. Die Bündelung ihrer Interessen in einem gemeinsamen europäischen Gefüge war notwendig, wenn Europa überhaupt weltpolitisch Gewicht behalten wollte. Die nationalen Interessen mussten sich zusammenfügen in ein gemeinsames europäisches Interesse. Neben der Suche nach einer Frieden stiftenden gemeinsamen, aus der Geschichte kommenden Identität, stand die Selbstbehauptung gemeinsamer Interessen, stand also der Wille zu wirtschaftlicher Macht, die die Vorbedingung politischer Macht darstellt. Im Lauf der Entwicklung der letzten fünfzig Jahre ist immer mehr dieser zweite Aspekt der europäischen Einigung dominant, ja, fast ausschließlich bestimmend geworden. Die gemeinsame europäische Währung ist der deutlichste Ausdruck für diese Sinngebung des europäischen Einigungswerkes: Europa stellt sich als eine wirtschaftliche und monetäre Ganzheit dar, die als solche an der Gestaltung der Geschichte teilnimmt und ihren eigenen Platz behauptet.

Karl Marx hat die These vertreten, dass Religionen und Philosophien nur ideologische Überbauten wirtschaftlicher Verhältnisse seien. Das stimmt in dieser Weise sicher nicht, eher müsste man von einer Wechselwirkung sprechen: Geistige Einstellungen bestimmen wirtschaftliches Verhalten, wirtschaftliche Situationen wirken dann wieder prägend auf die religiösen und moralischen Sichtweisen zurück. Im Aufbau der Wirtschaftsmacht Europa war – nach den mehr ethisch und religiös bestimmten Anfängen – immer ausschließlicher das ökonomische Interesse bestimmend.

2. Gemeinsame Maßstäbe des Handelns

Aber nun zeigt sich doch immer deutlicher, dass mit dem Aufbau wirtschaftlicher Strukturen und ökonomischen Handelns auch geistige Entscheidungen Hand in Hand gehen, die zunächst fast unreflektiert walten, dann aber doch deutlich nach ausdrücklicher Klärung verlangen. Große internationale Konferenzen wie die von Kairo 1994 und Peking 1995 sind Ausdruck einer solchen Frage nach gemeinsamen Maßstäben des Handelns, sie sind mehr als Ausdruck von Fragen. Man könnte sie als eine Art Konzilien des Weltgeistes bezeichnen, auf denen gemeinsame Gewissheiten formuliert und zu Normen für die menschliche Existenz erhoben werden sollen. Die Politik der Verweigerung oder der Gewährung wirtschaftlicher Hilfen ist eine Weise, solche Normen durchzusetzen, bei denen es besonders um die Kontrolle des Wachstums der Weltbevölkerung und die allgemeine Verbindlichkeit der dafür vorgesehenen Mittel geht.

Die alten ethischen Normen des Verhältnisses zwischen den Geschlechtern, wie sie in Afrika in Form von Stammesüberlieferungen galten, in den großen asiatischen Kulturen aus den Regeln kosmischer Ordnung abgeleitet waren und in den monotheistischen Religionen vom Maßstab der Zehn Gebote her galten, werden abgelöst durch ein Normensystem, das einerseits von der völligen sexuellen Freiheit ausgeht, andererseits aber den numerus clausus der Menschheitsgröße und die dafür angebotenen technischen Mittel zum hauptsächlichen Inhalt hat. Eine ähnliche Tendenz waltet auf den großen Klimakonferenzen. Hier wie dort ist die Furcht vor den Grenzen der Reserven des Alls das auslösende Element der Suche nach Normen. Hier wie dort geht es darum, einerseits die Freiheit des menschlichen Umgangs mit der Wirklichkeit zu verteidigen, aber andererseits die Folgen unbegrenzter Freiheit einzudämmen.

Der dritte Typus großer internationaler Konferenzen, die Begegnung der führenden Wirtschaftsmächte zur Regulierung der global gewordenen Ökonomie ist zum ideologischen Kampffeld der postkommunistischen Periode geworden. Während einerseits Technik und Wirtschaft sich als Vehikel der radikalen Freiheit der Menschen verstehen, wird ihre Allgegenwart mit den ihr inhärenten Normen nun als globale Diktatur erfahren und mit einer anarchischen Wildheit bekämpft, in der die Freiheit des Zerstörens als ein wesentlicher Teil menschlicher Freiheit überhaupt erscheint.

3. Die vor uns stehende Aufgabe

Was heißt dies alles für die Frage nach Europa? Es bedeutet, dass die einseitig auf die Ausbildung ökonomischer Macht gerichtete Konstruktion nun doch aus sich selbst eine Art von neuem Wertesystem hervorbringt, das auf seine Tragfähigkeit und seine Zukunftsfähigkeit hin überprüft werden muss. Die vor kurzem verabschiedete Europäische Charta könnte man als einen Versuch charakterisieren, zwischen diesem neuen Wertekanon und den klassischen Werten der europäischen Überlieferung einen Mittelweg zu finden. Als eine erste Richtungsangabe wird sie durchaus hilfreich sein. Zweideutigkeiten in wichtigen Punkten zeigen freilich unübersehbar die Problematik eines solchen Vermittlungsversuches an. An einer grundlegenden Auseinandersetzung mit den anstehenden Fragen wird man nicht vorbeikommen. Sie zu führen, ist selbstverständlich im Rahmen dieses Referats nicht möglich. Ich möchte lediglich versuchen, die Frage etwas zu präzisieren, um die es dabei gehen wird.

Die Väter der europäischen Einigung waren nach dem Zweiten Weltkrieg – wie wir sahen – von einer grundsätzlichen Vereinbarkeit des moralischen Erbes des Christentums und des moralischen Erbes der europäischen Aufklärung ausgegangen. In der Aufklärung war der biblische Gottesbegriff in doppelter Richtung unter der Idee der autonomen Vernunft verändert worden: Gott der Schöpfer und Erhalter, der die Welt immerfort trägt und leitet, war zu einem bloßen Initiator des Alls geworden. Der Offenbarungsbegriff war ausgeschieden worden. Spinozas Formel Deus sive natura könnte man in vieler Hinsicht als charakteristisch für die Vision der Aufklärung ansehen. Das bedeutet aber doch, dass man an eine Art von göttlich geprägter Natur glaubte und an die Fähigkeit des Menschen, diese Natur zu verstehen und auch als rationalen Anspruch zu werten.

Demgegenüber hatte der Marxismus einen radikalen Bruch gebracht: Die bestehende Welt ist arationales Evolutionsprodukt; die vernünftige Welt muss erst der Mensch aus dem unvernünftigen

Rohmaterial der Wirklichkeit hervorbringen. Dies – verbunden mit der Geschichtsphilosophie Hegels, mit dem liberalen Fortschrittsdogma und seiner sozio-ökonomischen Interpretation – führte zu der Erwartung der klassenlosen Gesellschaft, die im historischen Fortschritt als Endprodukt des Klassenkampfes erscheinen sollte und so zur letztlich einzigen normativen moralischen Idee wurde: Gut ist, was der Herbeiführung dieses Heilszustandes dient; schlecht ist, was sich ihm entgegenstellt. Heute stehen wir in einer zweiten Aufklärung, die nicht nur den Deus sive natura hinter sich gelassen, sondern auch die marxistische Hoffnungsideologie als irrational durchschaut hat und stattdessen ein rationales Zukunftsziel postuliert, das den Titel neue Weltordnung trägt und nun seinerseits zur wesentlichen ethischen Norm werden soll. Mit dem Marxismus gemeinsam bleibt die evolutionistische Idee einer durch den irrationalen Zufall und seine inneren Gesetzlichkeiten entstandenen Welt, die infolgedessen – anders als die alte Idee der Natur vorsah – keine ethische Weisung in sich tragen kann. Der Versuch, aus den Spielregeln der Evolution doch Spielregeln menschlicher Existenz, also eine Art von neuer Ethik abzuleiten, ist zwar weit verbreitet, aber wenig überzeugend. Es mehren sich die Stimmen von Philosophen wie Singer, Rorty, Sloterdijk, die uns sagen, der Mensch habe nun Recht und Pflicht, auf rationale Weise die Welt neu zu konstruieren. Die neue Weltordnung, an deren Notwendigkeit kaum jemand zweifelt, müsse eine Weltordnung der Rationalität sein. So weit so gut. Aber was ist rational?

Der Maßstab der Vernünftigkeit wird allein aus den Erfahrungen des wissenschaftlich fundierten technischen Machens genommen. Rationalität richtet sich auf Funktionalität, auf Effektivität, auf Steigerung der Lebensqualität für alle. Die Verfügung über die Natur, die damit vorgegeben ist, wird freilich durch die dramatisch werdenden Umweltfragen zum Problem. Viel ungenierter schreitet inzwischen die Verfügung des Menschen über sich selbst voran. Huxleys Visionen werden zusehends Realität: Der Mensch soll nicht mehr irrational gezeugt, sondern rational produziert werden. Über den Menschen als Produkt aber verfügt der Mensch. Die unvollkommenen Exemplare sind auszuscheiden, der vollkommene Mensch anzustreben, auf dem Weg über Planung und Produktion. Das Leid soll verschwinden, das Leben nur noch lustvoll sein.

Noch sind solche radikalen Visionen vereinzelt, meist vielfach abgemildert, aber die Handlungsmaxime, dass der Mensch alles darf, was er kann, setzt sich immer weiter durch. Das Können als solches wird zu einem sich selbst genügenden Maßstab. In einer evolutionär gedachten Welt ist auch von selbst einsichtig, dass es absolute Werte, das immer Schlechte und das immer Gute nicht geben kann, sondern die Güterabwägung den einzigen Weg moralischer Normenfindung darstellt. Das aber heißt dann, dass höhere Zwecke, erwartete Erfolge etwa für die Heilung von Krankheiten, auch den Missbrauch des Menschen rechtfertigen, wenn nur das erhoffte Gut groß genug erscheint.

So aber entstehen neue Zwänge, und es entsteht eine neue Herrschaftsklasse. Letztlich entscheiden diejenigen, die über das fachliche Können verfügen und diejenigen, die die Mittel verwalten, über das Geschick der übrigen Menschen. Nicht hinter der Forschung zurückzubleiben, wird zu einem unentrinnbaren Zwang, der seine Richtung selbst bestimmt. Welchen Rat kann man Europa und der Welt in dieser Situation geben? Als spezifisch europäisch erscheint in dieser Situation geradezu die Trennung von jeder ethischen Tradition und das Setzen allein auf die technische Rationalität und ihre Möglichkeiten. Aber wird eine so gegründete Weltordnung nicht doch zu einer Utopie des Schreckens? Braucht Europa, braucht die Welt nicht doch korrigierende Elemente aus seiner großen Tradition und aus den großen ethischen Traditionen der Menschheit?

Die Unantastbarkeit der Menschenwürde sollte der Pfeiler ethischer Ordnungen werden, an dem nicht gerüttelt wird. Nur wenn der Mensch sich selbst als Endzweck anerkennt und nur wenn der Mensch dem Menschen heilig und unantastbar ist, können wir einander vertrauen und miteinander im Frieden leben. Es gibt keine Güterabwägung, die es rechtfertigt, den Menschen als Experimentiermaterial für höhere Zwecke zu behandeln. Nur wenn wir hier ein Absolutum sehen, das über allen Güterabwägungen steht, handeln wir wirklich ethisch und nicht kalkulatorisch. Unantastbarkeit der Menschenwürde – das bedeutet dann auch, dass diese Würde für jeden Menschen gilt, dass diese Würde für jeden gilt, der Menschenantlitz trägt und der biologisch zur Spezies Mensch gehört. Funktionale Kriterien können hier keine Geltung haben. Auch der leidende, der behinderte, der ungeborene Mensch ist Mensch. Ich möchte hinzufügen, dass damit auch die Achtung vor dem Ursprung des Menschen aus der Gemeinschaft von Mann und Frau verbunden sein muss. Der Mensch darf nicht zum Produkt werden. Er darf nicht produziert, er kann nur gezeugt werden. Und daher muss der Schutz der besonderen Würde der Gemeinschaft von Mann und Frau, auf der die Zukunft der Menschheit ruht, zu den ethischen Konstanten einer jeden humanen Gesellschaft zählen.

All dies ist aber nur möglich, wenn wir auch einen neuen Sinn für die Würde des Leidens gewinnen. Leben lernen heißt auch leiden lernen. Deshalb ist auch Ehrfurcht vor dem Heiligen geboten. Der Glaube an den Schöpfergott ist die sicherste Gewähr der Menschenwürde. Er kann niemandem auferlegt werden, aber da er ein großes Gut für die Gemeinschaft ist, darf er Anspruch auf die Ehrfurcht von Seiten der Nichtglaubenden erheben.

Es ist richtig: Rationalität ist ein wesentliches Kennzeichen des europäischen Geistes. Mit ihr hat er in gewisser Hinsicht die Welt erobert, denn die zuerst in Europa gewachsene Form von Rationalität prägt heute das Leben aller Kontinente. Aber diese Rationalität kann zerstörerisch werden, wenn sie sich von ihren Wurzeln löst und das Machenkönnen zum einzigen Maßstab erhebt. Die Rückbindung an die beiden großen Quellen der Erkenntnis – an Natur und Geschichte – ist notwendig. Beide Bereiche sprechen nicht einfach aus sich selbst, aber von beiden kann Wegweisung ausgehen. Der Verbrauch der Natur, die sich unbegrenzter Verfügung widersetzt, hat neue Besinnungen in Gang gebracht über die Wegweisung, die von der Natur selbst ausgeht. Herrschaft über die Natur im Sinne des biblischen Schöpfungsberichtes bedeutet nicht gewalttätige Ausnutzung der Natur, sondern das Verstehen ihrer inneren Möglichkeiten und fordert so die sorgsame Form, in der der Mensch der Natur und die Natur dem Menschen dient.

Die Herkunft des Menschen selbst ist ein zugleich naturaler und humaner Vorgang: Im Miteinander von Mann und Frau verbinden sich das naturale und das geistige Element zum spezifisch Menschlichen, das man nicht ungestraft verachten kann. So sind auch die geschichtlichen Erfahrungen des Menschen, die sich in den großen Religionen niedergeschlagen haben, bleibende Quellen von Erkenntnis, Wegweisungen für die Vernunft, die auch den treffen, der sich selbst mit keiner dieser Traditionen zu identifizieren vermag. An ihnen vorbei zu denken und vorbei zu leben, wäre ein Hochmut, der den Menschen zuletzt ratlos und leer hinterlässt.

Mit alledem sind keine abschließenden Antworten auf die Frage nach den Grundlagen Europas gegeben. Es ging allein darum, die Aufgabe zu kennzeichnen, die vor uns steht. Es ist dringlich, an ihr zu arbeiten.

Drittes Kapitel

Verantwortung für den Frieden
Richtpunkte

I
Wenn du den Frieden willst ...
Gewissen und Wahrheit

Die Frage nach dem Gewissen ist heute, besonders im Bereich der katholischen Moraltheologie, zum Kernpunkt des Moralischen und seiner Erkenntnis geworden. Diese Auseinandersetzung kreist um die Begriffe Freiheit und Norm, Autonomie und Heteronomie, Selbstbestimmung und Fremdbestimmung durch Autorität. Das Gewissen erscheint dabei als das Bollwerk der Freiheit gegenüber den Einengungen der Existenz durch die Autorität. Dabei werden dann zwei Konzeptionen des Katholischen gegenübergestellt: ein erneuertes Verständnis seines Wesens, das den christlichen Glauben vom Grund der Freiheit her und als Prinzip der Freiheit entfaltet, und ein überholtes „vorkonziliares" Modell, das die christliche Existenz der Autorität unterwirft, die das Leben bis in die intimen Bereiche hinein normiert und dadurch ihre Macht über die Menschen aufrechtzuerhalten versucht. So scheinen *Gewissensmoral* und *Autoritätsmoral* als zwei gegensätzliche Modelle im Kampf miteinander zu liegen; die Freiheit des Christenmenschen würde dann durch den Ursatz moralischer Überlieferung gerettet, dass das *Gewissen* die *oberste Norm* ist, der der Mensch – auch gegen die Autorität – zu folgen hat. Wenn die Autorität, das heißt in diesem Fall das kirchliche Lehramt, in Dingen der Moral spricht, so könnte sie demnach dem Gewissen Material für seine eigene Urteilsbildung liefern, die aber doch das letzte Wort behalten müsste. Diese Letztinstanzlichkeit des Gewissens wird von manchen Autoren auf die Formel gebracht, das Gewissen sei unfehlbar[1].

---

[1] Diese These wurde anscheinend zuerst von J. G. Fichte aufgestellt: „Das Gewissen irrt nie und kann nie irren", denn es ist „selbst Richter aller Überzeugung", der „keinen höheren Richter über sich selbst anerkennt. Es entscheidet

An dieser Stelle kann nun allerdings Widerspruch aufsteigen. Dass man einem *klaren Gewissensspruch immer folgen muss,* zumindest nicht gegen ihn handeln darf, ist *unbestritten.* Aber ob das Gewissensurteil oder was man für ein solches ansieht, auch immer recht habe, ob es unfehlbar sei, ist eine andere Frage. Denn wenn es so wäre, würde dies ja heißen, dass es keine Wahrheit gibt – zumindest in Sachen der Moral und der Religion, also im Bereich der eigentlichen Grundlagen unserer Existenz. Denn die Gewissensurteile widersprechen sich; es gäbe also nur eine Wahrheit des Subjekts, die sich auf dessen Wahrhaftigkeit reduzieren würde. Aus dem Subjekt würde dann keine Tür und kein Fenster herausführen ins Ganze und ins Gemeinsame hinein. Wer dieses zu Ende denkt, wird zur Erkenntnis kommen, dass dann aber auch keine wirkliche Freiheit existiert und dass die vermeintlichen Gewissenssprüche nur Reflexe sozialer Vorgegebenheiten sind. Das müsste dann zu der Einsicht führen, dass die Gegenüberstellung von Freiheit und Autorität irgend etwas auslässt; dass es noch etwas Tieferes geben muss, wenn Freiheit und damit Menschsein einen Sinn haben sollen.

---

in der letzten Instanz und ist selbst inappellabel" (System der Sittenlehre. 1798, III, § 15; Werke Bd. 4, Berlin 1971, S. 174). Vgl. *H. Reiner,* Gewissen, in: J. Ritter(Hrsg.), Historisches Wörterbuch der Philosophie III, 574–592, hierzu 586. Die Gegenargumente hatte im Voraus schon Kant formuliert: sie erscheinen vertieft bei Hegel, für den das Gewissen „als formelle Subjektivität ... auf dem Sprunge" ist, „ins Böse umzuschlagen": Vgl. *H. Reiner,* ebd. Trotzdem ist die These von der Unfehlbarkeit des Gewissens in der theologischen Populärliteratur derzeit wieder stark im Vordringen. Eine in gewisser Hinsicht vermittelnde Position finde ich bei E. Schockenhoff, Das umstrittene Gewissen, Mainz 1990, der zwar ausdrücklich mit der Möglichkeit rechnet, dass das Gewissen sich selbst verfehlt, „weil es an der anderen Forderung des moralischen Gesetzes, der gegenseitigen Anerkennung freier Vernunftwesen, irre wird" (S. 139), der aber – auf Linsenmann gestützt – die Rede vom irrenden Gewissen ablehnt: „Im Blick auf die Gewissensqualität als solche gibt es keinen Sinn, von Irrtum zu reden, weil dieser sich von keiner übergeordneten Warte aus feststellen lässt" (S. 136). Wieso nicht? Gibt es keine uns allen gemeinsam zugängliche Wahrheit über das Gute? Gewiss, das so Gesagte wird dann erheblich nuanciert, so dass mir am Schluss nur noch weniger einsichtig ist, warum der Begriff des irrenden Gewissens unhaltbar sein soll. Hilfreich zur Frage *M. Honecker,* Einführung in die theologische Ethik, Berlin 1990, S. 138ff.

1. Ein Gespräch über das irrige Gewissen und erste Schlussfolgerungen

Auf diese Weise ist wohl sichtbar geworden, dass uns die Frage nach dem Gewissen tatsächlich in den Kernbereich des moralischen Problems und so der Frage nach der Existenz des Menschen überhaupt führt. Ich möchte nun versuchen, diese Frage nicht in Form einer streng begrifflichen und dann notwendig reichlich abstrakten Erwägung darzustellen, sondern möchte auf „narrativem" Wege vorgehen, indem ich zunächst von der Geschichte meines eigenen Umgangs mit diesem Problem erzähle. Es kam mir zum ersten Mal mit seiner ganzen Dringlichkeit in der Anfangszeit meiner akademischen Wirksamkeit vor die Augen. Ein älterer Kollege, dem die Not des Christseins in unserer Zeit auf der Seele lag, äußerte damals in einem Disput die Meinung, man müsse eigentlich Gott dankbar sein, dass er so vielen Menschen schenke, guten Gewissens ungläubig zu werden. Denn wenn ihnen die Augen aufgingen und sie gläubig würden, wären sie nicht imstande, in dieser unserer Welt die Last des Glaubens und seine moralischen Verpflichtungen zu ertragen. Nun aber, da sie guten Gewissens einen anderen Weg gingen, könnten sie dennoch zum Heil gelangen.

Was mich an dieser Behauptung schockierte, war zunächst nicht die Idee eines von Gott selbst gegebenen irrigen Gewissens, um mit dieser List die Menschen retten zu können, sozusagen die Idee einer von Gott zum Heil der Betreffenden geschickten Verblendung. Was mich störte, war die Vorstellung, dass danach der Glaube eine kaum zu ertragende und wohl nur für starke Naturen zu meisternde Last wäre, beinahe eine Art Strafe, jedenfalls eine Zumutung nicht leicht zu bewältigender Art. Er würde danach das Heil nicht erleichtern, sondern erschweren. Froh sein müsste demnach, wem nicht aufgebürdet wird, glauben zu müssen und sich dem Joch der Moral des Glaubens der katholischen Kirche zu beugen. Das irrige Gewissen, das einem leichter leben lässt und einen menschlicheren Weg zeigt, wäre dann die eigentliche Gnade, der normale Weg zum Heil. Die Unwahrheit, das Fernbleiben der Wahrheit, wäre dem Menschen besser als die Wahrheit; nicht die Wahrheit würde ihn befreien, sondern von ihr müsste er befreit werden. Der Mensch wäre besser im Dunkel zu Hause als im Licht; der Glaube nicht gutes Geschenk des guten Gottes, sondern eher ein Verhängnis. Wie sollte, wenn es so steht, Freude am Glauben aufkommen? Wie gar der Mut, ihn anderen weiterzugeben? Wäre es dann nicht besser, andere damit zu verschonen oder gar sie davon abzuhalten? Vorstellungen dieser Art haben in den letzten Jahrzehnten zusehends die Bereitschaft zur Evangelisierung gelähmt: Wer den Glauben als schwer Last, als moralische Zumutung sieht, mag andere nicht dazu einladen; er lässt sie besser in der vermeintlichen Freiheit ihres guten Gewissens.

Der so sprach, war ein redlicher Gläubiger und, ich würde sagen: ein strenger Katholik, der seine Pflicht mit Überzeugung und Genauigkeit erfüllte. Aber er drückte dabei eine Form von Glaubenserfahrung aus, die nur beunruhigen kann und deren Ausbreitung für den Glauben tödlich sein müsste. Die geradezu *traumatische Aversion* vieler *gegen* das, was sie für *„vorkonziliaren" Katholizismus* halten, beruht meiner Überzeugung nach auf der *Begegnung mit* solchem *nur noch Last gebliebenen Glauben.*

Hier stehen freilich Fragen der grundsätzlichsten Art auf: Kann solcher Glaube eigentlich Begegnung mit der Wahrheit sein? Ist die Wahrheit über Mensch und Gott so traurig und so schwer, oder liegt die Wahrheit nicht gerade in der Überwindung solcher Gesetzlichkeit? Liegt sie nicht doch in der Freiheit? Aber wohin führt dann die Freiheit? Welchen Weg weist sie uns? Wir werden am Schluss auf diese Grundprobleme christlicher Existenz im Heute zurückkommen müssen; vorab müssen wir aber zum Kern unseres Themas, zur Sache des Gewissens zurückkehren.

Am erwähnten Argument hatte mich, wie schon gesagt, zunächst die Karikatur von Glaube erschreckt, die ich darin zu finden glaubte. In einem zweiten Überlegungsgang erschien mir aber auch der Gewissensbegriff falsch, der dabei vorausgesetzt wurde. Das irrige Gewissen schützt den Menschen vor den Zumutungen der Wahrheit und rettet ihn dadurch – so hatte ja das Argument gelautet. Das Gewissen erschien hier nicht als das Fenster, das dem

Menschen den Durchblick zur gemeinsamen, uns alle gründenden und tragenden Wahrheit öffnet und uns so Gemeinschaft des Wollens und der Verantwortung aus der Gemeinsamkeit des Erkennens heraus ermöglicht. Gewissen ist da nicht die Erschlossenheit des Menschen für den ihn tragenden Grund, die Kraft des Vernehmens für das Höchste und Wesentliche. Es erscheint vielmehr als der Schutzmantel der Subjektivität, in dem der Mensch sich vor der Wirklichkeit bergen und verbergen kann. Insofern war hier eigentlich die Gewissensidee des Liberalismus vorausgesetzt. Das Gewissen öffnet nicht den Weg zur rettenden Straße der Wahrheit, die es entweder gar nicht gibt oder die uns überfordert. Es wird so zur Rechtfertigung für die Subjektivität, die sich nicht in Frage stellen lassen möchte, wie auch für den sozialen Konformismus, der als Mittelwert zwischen den verschiedenen Subjektivitäten das Zusammenleben ermöglichen soll. Verpflichtung zur Wahrheitssuche wie Zweifel an der Durchschnittshaltung und ihren Gewohnheiten entfallen. Das Überzeugtsein vom Eigenen wie auch umgekehrt die Anpassung an die anderen genügen. Der Mensch ist auf seine oberflächliche Überzeugung reduziert, und je weniger Tiefe er hat, umso besser für ihn.

Was mir an diesem Gespräch nur am Rande bewusst geworden war, zeigte sich wenig später in greller Deutlichkeit bei einem Disput im Kollegenkreis über die rechtfertigende Kraft des irrigen Gewissens. Irgend jemand warf gegen diese These ein, wenn das allgemein gelten würde, dann wären ja auch die SS-Leute gerechtfertigt und im Himmel zu suchen, die in fanatischer Überzeugung und mit einer völligen Gewissenssicherheit ihre Untaten vollbracht hatten. Ein anderer antwortete darauf mit großer Selbstverständlichkeit, so sei es in der Tat. Es bestehe überhaupt kein Zweifel, dass Hitler und seine Mittäter zutiefst von ihrer Sache überzeugt, gar nicht anders handeln durften und daher – bei aller objektiven Schrecklichkeit ihres Tuns – subjektiv moralisch gehandelt hätten. Da sie nun einmal ihrem – wenn auch fehlgeleiteten – Gewissen folgten, müsse man ihr Handeln als für sie moralisch anerkennen und könne daher auch an ihrer ewigen Rettung nicht zweifeln.

Seit jenem Gespräch weiß ich mit aller Sicherheit, dass irgend etwas an der Theorie von der rechtfertigenden Kraft des subjektiven Gewissens nicht stimmt, dass – mit anderen Worten – ein Gewissensbegriff falsch ist, der zu solchen Ergebnissen führt. Das feste subjektive Überzeugtsein und das daraus folgende Fehlen von Zweifel und Skrupel rechtfertigt den Menschen nicht.

Etwa dreißig Jahre später fand ich bei dem Psychologen Albert Görres in knappen Worten die Erkenntnisse zusammengefasst, die ich damals langsam auf den Begriff zu bringen versuchte und deren Entfaltung den Kern unserer Überlegungen bilden soll. Görres weist darauf hin, dass das Schuldgefühl, die Fähigkeit, Schuld zu erkennen, zum seelischen Haushalt des Menschen wesentlich gehört. Das Schuldgefühl, das eine falsche Gewissensruhe aufbricht und die Wortmeldung des Gewissens gegen meine selbstzufriedene Existenz genannt werden könnte, ist dem Menschen so nötig wie der körperliche Schmerz als Signal, das Störungen der normalen Lebensfunktion erkennen lässt. Wer nicht mehr fähig ist, Schuld zu sehen, ist seelisch krank, „ein lebendiger Leichnam, eine Charaktermaske", wie Görres sagt[2]. „Keine Schuldgefühle haben unter anderem Unmenschen, Monstren. Vielleicht hatte Hitler keine oder Himmler oder Stalin. Vielleicht haben Mafia-Patrone keine, aber vermutlich sind deren Leichen nur gut im Keller versteckt. Auch die abgetriebenen Schuldgefühle ... Alle Menschen brauchen Schuldgefühle ... Alle Menschen brauchen Schuldgefühle."[3]

Übrigens hätte schon ein Blick in die Schrift vor solchen Diagnosen und vor einer solchen Theorie der Rechtfertigung durch das irrende Gewissen bewahren können. Im Psalm 19, 13 steht der ewig bedenkenswerte Satz: „Wer bemerkt seine eigenen Fehler? Sprich mich frei von der Schuld, die mir nicht bewusst ist!" Das ist nicht alttestamentliche Weisheit: Das *Nicht-mehr-Sehen* von Schuld, das *Verstummen des Gewissens* in so vielen Bereichen ist

---

[2] A. *Görres*, Schuld und Schuldgefühle, in: Internationale katholische Zeitschrift „Communio" 13 (1984) S. 434.
[3] Ebd. S. 442.

eine *gefährlichere Erkrankung der Seele* als die immerhin noch *als* Schuld *erkannte Schuld.* Wer nicht mehr bemerkt, dass Töten Sünde ist, ist tiefer gefallen, als wer noch das Schändliche seines Tuns erkennt, weil er von der Wahrheit und von der Bekehrung weiter entfernt ist. Nicht umsonst erscheint in der Begegnung mit Jesus der Selbstgerechte als der wahrhaft Verlorene. Wenn der Zöllner mit all seinen unbestrittenen Sünden vor Gott gerechter dasteht als der Pharisäer mit all seinen wirklich guten Werken (Lk 18, 9–14), so liegt das nicht daran, dass etwa die Sünden des Zöllners keine Sünden wären und die guten Taten des Zöllners keine guten Taten. Es bedeutet nicht, dass das Gute des Menschen vor Gott nicht gut und sein Böses nicht böse oder eben nicht gar so wichtig ist.

Der Grund für dieses paradoxe Urteil Gottes zeigt sich genau von unserer Frage her: Der Pharisäer weiß nicht mehr, dass auch er Schuld hat. Er ist mit seinem Gewissen völlig im Reinen. Aber dieses Schweigen des Gewissens macht ihn undurchdringlich für Gott und die Menschen, während der Schrei des Gewissens, der den Zöllner umtreibt, ihn der Wahrheit und der Liebe fähig macht. Jesus kann deswegen bei den Sündern wirken, weil sie nicht hinter dem Paravent ihres irrenden Gewissens unzugänglich geworden sind für die Veränderungen, die Gott von ihnen – von uns – erwartet. Er kann deswegen bei den „Gerechten" nicht wirken, weil kein Bedarf für Vergebung und Bekehrung mehr besteht; weil ihr Gewissen sie nicht mehr anklagt, sondern rechtfertigt.

Das Gleiche finden wir auf andere Weise bei Paulus wieder, der uns sagt, dass die *Heiden* sehr wohl auch *ohne Gesetz wussten, was Gott* von ihnen *erwartet* (Röm 2, 1–16). Die ganze *Theorie von der Rettung durch Unkenntnis bricht* an diesem Vers *zusammen:* Es gibt die gar nicht abzuweisende Gegenwart der Wahrheit im Menschen – jener einen Wahrheit des Schöpfers, die in der heilsgeschichtlichen Offenbarung auch schriftlich geworden ist. Der *Mensch* kann die *Wahrheit Gottes* auf dem Grund seines Geschöpfseins *sehen. Sie nicht* zu *sehen ist Schuld.* Sie wird nicht gesehen, wenn und weil sie nicht gewollt wird. Dieses Nein des Willens, das die Erkenntnis hindert, ist Schuld. Denn dass die Signallampe nicht aufleuchtet, ist Folge eines gewollten Wegschauens von dem, was wir nicht sehen mögen[4].

An dieser Stelle unserer Überlegungen ist es möglich, erste Konsequenzen zur Beantwortung der Frage nach dem Wesen des Gewissens zu ziehen. Wir können jetzt sagen: *Es geht nicht an, das Gewissen des Menschen mit dem Selbstbewusstsein des Ich, mit seiner subjektiven Gewissheit über sich und sein moralisches Verhalten zu identifizieren.* Dieses Bewusstsein kann einerseits bloßer Reflex des sozialen Umfelds und der dort verbreiteten Meinungen sein. Es kann andererseits auf einen Mangel an Selbstkritik, an Hören auf die Tiefe der eigenen Seele verweisen. Was nach dem Sturz der marxistischen Systeme im Osten Europas zutage kam, bestätigt diese Diagnose. Die wachsten und lautersten Geister der befreiten Völker sprechen von einer ungeheuren seelischen Verwahrlosung, die in den Jahren der geistigen Verbildung eingetreten sei; von einer Abstumpfung des moralischen Sinns, die als Verlust und Gefahr schwerer wiege als die wirtschaftlichen Schäden, die eingetreten sind.

Der Moskauer Patriarch hob dies zum Beginn seines Wirkens im Sommer 1990 eindrucksvoll hervor: Die Wahrnehmungsfähigkeit des Menschen, die in einem System des Betrugs lebten, habe sich verdunkelt. Die Gesellschaft habe die Fähigkeit zur Barmherzigkeit eingebüßt, und die menschlichen Gefühle seien verloren gegangen. Eine ganze Generation sei für das Gute, für Taten der Menschlichkeit verloren. „Wir müssen die Gesellschaft zu den ewigen moralischen Werten zurückführen", das heißt: das fast erloschene Gehör für den Zuspruch Gottes im Herzen des Menschen wieder entwickeln. Der Irrtum, *das irrende Gewissen, ist nur im ersten Augenblick bequem.* Dann aber wird das Verstummen des Gewissens zur Entmenschlichung der Welt und zur tödlichen Gefahr, wenn man ihm nicht entgegenwirkt.

Anders ausgedrückt: Die Identifikation des Gewissens mit dem Oberflächenbewusstsein und die Reduktion des Menschen auf seine Subjektivität befreit nicht, sondern versklavt; sie macht uns erst vollends abhängig von den herrschenden Meinungen und ernie-

---

[4] Vgl. *M. Honecker*, a.a.O., S. 130.

drigt das Niveau der herrschenden Meinungen selbst von Tag zu Tag. Wer das Gewissen mit oberflächlicher Überzeugtheit gleichsetzt, identifiziert es mit einer schein-rationalen Sicherheit, die aus Selbstgerechtigkeit, Konformismus und Trägheit gewoben ist. Das Gewissen wird zum Entschuldigungsmechanismus degradiert, während es doch die Transparenz des Subjekts für das Göttliche und so die eigentliche Würde und Größe des Menschen darstellt. Die *Reduktion des Gewissens auf subjektive Gewissheit* bedeutet zugleich den *Entzug der Wahrheit.*

Wenn der Psalm in Vorwegnahme der jesuanischen Sicht von Sünde und Gerechtigkeit um Befreiung von unbewusster Schuld bittet, so weist er auf diesen Zusammenhang hin: Gewiss, dem irrenden Gewissen muss man folgen. Aber *der Entzug der Wahrheit,* der *vorausgegangen* ist und der sich nun rächt, *ist die eigentliche Schuld,* die den Menschen in falsche Sicherheit wiegt und ihn am Schluss in der weglosen Wüste allein lässt.

2. Newman und Sokrates – Wegweiser zum Gewissen

An dieser Stelle möchte ich einstweilen abbrechen. Bevor wir versuchen, zusammenhängende Antworten auf die Fragen nach dem Wesen des Gewissens zu formulieren, muss die Basis der Überlegungen über das Persönliche hinaus, von dem wir ausgegangen sind, noch ein wenig verbreitert werden. Freilich möchte ich nicht versuchen, nun einen gelehrten Traktat über die Geschichten der Theorien des Gewissens zu entwickeln, wozu gerade in letzter Zeit verschiedene Beiträge veröffentlicht worden sind[5]. Ich möchte es auch hier beim Exemplarischen und sozusagen beim narrativen

---

[5] Vgl. außer dem schon zitierten wichtigen Artikel von H. Reiner und der Arbeit von Schockenhoff an neueren Untersuchungen, *A. Laun, Das Gewissen. Oberste Norm sittlichen Handelns,* Innsbruck 1984; *ders., Aktuelle Probleme der Moraltheologie,* Wien 1991, S. 31–64; *J. Gründel* (Hg.), *Das Gewissen. Subjektive Willkür oder oberste Norm?* Düsseldorf 1990; zusammenfassender Überblick: *K. Golser,* Gewissen, in: H. Rotter – G. Virt, *Neues Lexikon der christlichen Moral,* Innsbruck – Wien 1990, S. 278–286.

belassen. Ein erster Blick soll sich auf Kardinal Newman richten, dessen Leben und Werk man geradezu als einen einzigen großen Kommentar zur Frage des Gewissens bezeichnen könnte. Auch Newman soll dabei nicht fachwissenschaftlich befragt werden. Der ergebene Rahmen schließt es auch aus, Einzelheiten von Newmans Gewissensbegriff zu erwägen. Ich möchte nur versuchen, den Standort des Gewissensbegriffs im Ganzen von Newmans Leben und Denken anzudeuten; die so gewonnene Einsicht wird dann den Blick für die Probleme der Gegenwart schärfen und die Verbindung zur Geschichte öffnen, das heißt zu den großen Zeugen des Gewissens hinführen und zum Ursprung der christlichen Lehre vom Leben nach dem Gewissen.

Wem fiele beim Thema Newman und das Gewissen nicht der berühmte Satz aus dem Brief an den Herzog von Norfolk ein: Wenn ich – was höchst unwahrscheinlich ist – einen Toast auf die Religion ausbringen müsste, würde ich auf den Papst trinken. Aber zuerst auf das Gewissen und dann erst auf den Papst[6]. Nach Newmans Absicht sollte dies – im Gegenüber zu den Einlassungen Gladstones – ein klares Bekenntnis zum Papsttum sein, aber auch – gegenüber Fehlformen des „Ultramonatismus" – eine Interpretation des Papsttums, das nur dann recht begriffen ist, wenn es zusammengesehen wird mit dem Primat des Gewissens – ihm nicht entgegengesetzt, sondern auf ihm gründend und ihn verbürgend. Dies zu verstehen ist für den modernen Menschen schwierig, der aus der Entgegensetzung von Autorität und Subjektivität heraus denkt. Für ihn steht das Gewissen auf Seiten der Subjektivität und ist Ausdruck der Freiheit des Subjekts, während Autorität als deren Einschränkung oder gar Bedrohung und Negation erscheint. So müssen wir hier etwas tiefer gehen, um eine Vision wieder verstehen zu lernen, in der diese Art von Gegensatz nicht gilt.

---

[6] Lett. to Norfolk, S. 261; vgl. *J. Honoré,* Newman, Sa vie et sa pensée, Paris 1988, S. 65; *I. Ker,* J. H. Newman. A Biography, Oxford 1990, S. 688ff. Der deutschsprachige Leser findet einen guten Schlüssel zu Newmans Gewissenslehre bei *J. Arzt,* Newman-Lexikon, Mainz 1975, S. 396–400. Vgl. auch *A. Läpple,* Der Einzelne in der Kirche. Wesenszüge einer Theologie des Einzelnen nach J. H. Newman, München 1952.

Der Mittelbegriff, der bei Newman den Zusammenhang von beidem herstellt, ist die Wahrheit. Ich stehe nicht an zu sagen, dass Wahrheit der zentrale Gedanke von Newmans geistigem Ringen ist; das Gewissen ist bei ihm deshalb zentral, weil die Wahrheit in der Mitte steht. Anders gesagt: Die Zentralität des Gewissensbegriffs bei Newman ist gebunden an die vorgängige Zentralität des Wahrheitsbegriffs und nur von dieser her zu verstehen. Die Dominanz der Idee des Gewissens bedeutet bei Newman nicht, dass er nun, im 19. Jahrhundert und im Gegenüber zur „objektivistischen" Neuscholastik, sozusagen eine Philosophie oder Theologie der Subjektivität vertritt. Gewiss, das Subjekt findet bei Newman eine Aufmerksamkeit, wie es sie in katholischer Theologie vielleicht seit Augustin nicht mehr erfahren hatte. Aber es ist eine Aufmerksamkeit auf der Linie Augustins und nicht auf derjenigen der subjektivistischen Philosophie der Neuzeit.

Bei seiner Kardinalserhebung hat Newman bekannt, dass sein ganzes Leben ein Kampf gegen den Liberalismus sei. Wir könnten hinzufügen: auch gegen den christlichen Subjektivismus, wie er ihn in der evangelikalen Bewegung seiner Zeit vorfand, die ihm freilich die erste Stufe seines lebenslangen Bekehrungsweges geschenkt hatte[7]. Gewissen bedeutet für Newman nicht die Maßstäblichkeit des Subjekts gegenüber den Ansprüchen der Autorität in einer wahrheitslosen Welt, die vom Kompromiss zwischen Ansprüchen des Subjekts und Ansprüchen der sozialen Ordnung lebt. Es bedeutet vielmehr die vernehmliche und gebieterische Anwesenheit der Stimme der Wahrheit im Subjekt selbst; Gewissen ist die Aufhebung der bloßen Subjektivität in der Berührung zwischen der Innerlichkeit des Menschen und der Wahrheit von Gott her. Bezeichnend ist der Vers, den Newman 1833 in Sizilien niederschrieb: „Ich liebte eigenen Weg. Jetzt bitte ich: Leucht mir voran!"[8] Die Konversion zum Katholizismus war für Newman nicht Sache des persönlichen Geschmacks, des subjektiven seelischen

[7] Vgl. *Ch. St. Dessain*, J. H. Newman, Freiburg 1981; *G. Biemer*, J. H. Newman, Leben und Werk, Mainz 1989.

[8] Aus dem bekannten Gedicht „Lead kindly light"; vgl. *I. Ker*, a.a.O., S. 79; *Ch. St. Dessain*, a.a.O., S. 98f.

Bedürfnisses. Dazu äußerte er noch 1844, sozusagen an der Schwelle seiner Konversion: „Niemand kann vom derzeitigen Zustand der römischen Katholiken eine ungünstigere Meinung haben als ich …"[9] Es ging Newman vielmehr darum, erkannter Wahrheit mehr gehorchen zu müssen als eigenem Geschmack, also auch gegen das eigene Empfinden und gegen Bindungen der Freundschaft wie des gemeinsamen Weges. Es scheint mir bezeichnend, dass Newman in der Reihenfolge der Tugenden den Vorrang der Wahrheit vor der Güte betonte oder, für uns verständlicher ausgedrückt: ihren Vorrang vor dem Konsens, vor der Gruppenverträglichkeit.

Ich würde sagen: Diese Haltungen sind gemeint, wenn wir von einem Mann des Gewissens sprechen. Ein Mann des Gewissens ist ein Mensch, der niemals Verträglichkeit, Wohlbefinden, Erfolg, öffentliches Ansehen und Billigung von Seiten der herrschenden Meinung durch den Verzicht auf Wahrheit erkauft. Darin berührt sich Newman mit dem anderen großen Gewissenszeugen Britanniens, mit Thomas Morus, für den das Gewissen keineswegs Ausdruck seines subjektiven Beharrungswillens oder eines eigensinnigen Heroismus war. Er hat sich selbst zu den ängstlichen Martyrern gezählt, die nur unter Stocken und vielen Fragen sich den Gehorsam gegen das Gewissen abringen: den Gehorsam gegen die Wahrheit, die höher stehen muss als jede soziale Instanz und als jede Art von persönlichem Geschmack[10]. So zeigen sich zwei Maßstäbe für die Anwesenheit eines wirklichen Gewissenswortes: Es fällt nicht zusammen mit den eigenen Wünschen und dem eigenen Geschmack; es fällt nicht zusammen mit dem, was das sozial Günstigere ist, mit dem Konsens der Gruppe, mit den Ansprüchen politischer oder sozialer Macht.

An dieser Stelle liegt ein Seitenblick auf die Problematik unseres Zeitalters nahe. Der Einzelne darf seinen Aufstieg, sein Wohlbefinden nicht durch Verrat an der erkannten Wahrheit erkaufen. Die Menschheit darf es nicht. Hier berühren wir den eigentlich kri-

---

[9] Correspondence of J. H. Newman with J. Keble and Others, S. 351 und 364; vgl. *Ch. St. Dessain,* a.a.O., S. 163.
[10] Vgl. *P. Berglar,* Die Stunde des Thomas Morus, Olten und Freiburg, 3. Aufl. 1981, S. 155ff.

tischen Punkt der Neuzeit: Der Begriff Wahrheit ist praktisch aufgegeben und durch den des Fortschritts ersetzt worden. Der Fortschritt selbst „ist" die Wahrheit. Aber durch diese scheinbare Er-
höhung wird er richtungslos und hebt sich selber auf. Denn wenn
es keine Richtung gibt, kann alles sowohl Fortschritt wie Rück-
schritt sein.

Die von Einstein formulierte Relativitätstheorie betrifft als solche
den physischen Kosmos. Aber sie scheint mir auch die Situation
des geistigen Kosmos unserer Zeit treffend zu beschreiben. Die Relativitätstheorie besagt, dass es innerhalb des Weltalls keine festen
Bezugssysteme gibt. Es ist unsere Festlegung, wenn wir ein System als Bezugspunkt erklären, von dem aus wir das Ganze zu mes-
sen versuchen, weil wir nur so überhaupt zu Ergebnissen gelangen können. Aber die Festlegung könnte immer auch anders er-
folgen. Was über den physischen Kosmos gesagt ist, spiegelt auch
die zweite „kopernikanische" Wende in unserem Grundverhältnis
zur Wirklichkeit: Die Wahrheit als solche, das Absolute, der Bezugspunkt des Denkens überhaupt, ist nicht mehr sichtbar. Darum
gibt es – gerade auch geistig betrachtet – kein Oben und kein Un-
ten mehr. Es gibt keine Richtungen in einer Welt ohne feste Mess-
punkte. Was wir als Richtung ansehen, beruht nicht auf einem in
sich wahren Maßstab, sondern auf unserer Entscheidung, letztlich
auf Gesichtspunkten der Nützlichkeit. In einem solchen „relativistischen" Kontext wird teleologische oder konsequentialistische
Ethik letztlich nihilistisch, auch wenn sie es nicht wahrnimmt. Und
was man in solcher Weltsicht „Gewissen" nennt, ist – tiefer betrachtet – die Umschreibung dafür, dass es ein eigentliches Gewissen,
nämlich ein Mitwissen mit der Wahrheit nicht gibt. Jeder bestimmt
sich selbst seine Maßstäbe, und in der allgemeinen Relativität kann
auch niemand dem anderen dabei behilflich sein, noch weniger
ihm Vorschriften machen.

An dieser Stelle wird die ganze Radikalität des heutigen Disputs
um die Ethik und um ihr Zentrum, das Gewissen, sichtbar. Mir
scheint, dass ihre eigentliche geistesgeschichtliche Parallele der
Streit zwischen Sokrates – Platon und den Sophisten sei, in dem
der Urentscheid zwischen zwei Grundhaltungen durchgeprobt wor-

den ist: dem Vertrauen auf die Wahrheitsfähigkeit des Menschen einerseits und einer Weltsicht andererseits, in der nur der Mensch sich selbst seine Maßstäbe schafft[11].

Dass Sokrates, der Heide, in gewisser Hinsicht zum Propheten Jesu Christi werden konnte, liegt meiner Überzeugung nach in dieser Urfrage begründet: Ihr Aufnehmen ist es, das der von ihm inspirierten Weise des Philosophierens sozusagen ein heilsgeschichtliches Privileg gegeben hat und sie als Gefäß für den christlichen Logos geeignet machte, bei dem es um Befreiung durch Wahrheit und zur Wahrheit geht. Wenn man den Streit des Sokrates aus den Zufälligkeiten der Zeitgeschichte löst, wird man schnell erkennen, wie sehr er – mit anderen Argumenten und mit anderen Namen – in der Sache der Streit der Gegenwart ist. Die Resignation gegenüber der Wahrheitsfähigkeit des Menschen führt zunächst zu einem rein formalistischen Gebrauch von Worten und Begriffen. Das Ausfallen der Inhalte wiederum führt zu einem reinen Formalismus des Urteilens, damals wie heute. Man fragt heute vielerorts nicht mehr, *was* ein Mensch denkt. Man hat das Urteil über sein Denken schon in der Hand, wenn man es einer entsprechenden formalen Kategorie zuordnen kann: konservativ, reaktionär, fundamentalistisch, progressiv, revolutionär. Die Zuordnung zu einem formalen Schema genügt, um die Auseinandersetzung mit dem Inhalt unnötig zu machen. Das Gleiche zeigt sich verstärkt in der Kunst: *Was* sie aussagt, ist gleichgültig; sie kann Gott oder den Teufel verherrlichen – der einzige Maßstab ist ihr formales Gekonntsein.

Hier sind wir am eigentlichen Brennpunkt angelangt: Wo die Inhalte nicht mehr zählen, wo die reine Praxeologie die Herrschaft übernimmt, wird das Können zum obersten Kriterium. Das aber bedeutet: Die Macht wird zur alles beherrschenden Kategorie – revolutionär oder reaktionär. Dies ist genau die perverse Form von

---

[11] Vgl. zur Auseinandersetzung zwischen Sokrates und den Sophisten *J. Pieper,* Missbrauch der Sprache – Missbrauch der Macht, in: ders., Über die Schwierigkeit zu glauben, München 1974, S. 255–282; *ders.,* Kümmert euch nicht um Sokrates, München 1966. Eindringlich ist die Frage nach der Wahrheit als Kern des sokratischen Ringens herausgestellt bei *R. Guardini,* Der Tod des Sokrates, Mainz – Paderborn, 5. Aufl. 1987.

Gottähnlichkeit, von der die Sündenfallsgeschichte spricht: Der Weg des bloßen Könnens, der Weg der reinen Macht ist Nachahmung eines Götzen und nicht Vollzug der Gottebenbildlichkeit. Das Kennzeichen des Menschen als Menschen ist es, dass er nicht nach dem Können, sondern nach dem Sollen fragt und dass er sich die Stimme der Wahrheit und ihres Anspruchs öffnet. Dies war, wie mir scheint, der letzte Inhalt des sokratischen Ringens, und es ist der tiefste Inhalt im Zeugnis aller Martyrer: Sie stehen ein für die Wahrheitsfähigkeit des Menschen als Grenze aller Macht und als Gewähr seiner Gottähnlichkeit. Gerade so sind die Martyrer die großen Zeugen des Gewissens, der dem Menschen verliehenen Fähigkeit über das Können hinaus das Sollen zu vernehmen und damit wirklichen Fortschritt, wirklichen Aufstieg zu eröffnen.

3. Systematische Konsequenzen:
Die zwei Ebenen des Gewissens

a) Anamnesis

Nach all diesen Wanderungen durch die Geistesgeschichte wird es nun Zeit, zu Ergebnissen zu kommen, also einen Begriff des Gewissens zu formulieren. Der *mittelalterlichen Tradition* möchte ich darin recht geben, dass der *Gewissensbegriff zwei Ebenen* umfasst, die man gut *unterscheiden,* aber auch stets *aufeinander beziehen* muss[12]. Viele unannehmbare Thesen zur Frage des Gewissens scheinen mir darauf zu beruhen, dass man entweder die Unterscheidung oder die Beziehung vernachlässigt hat. Der Hauptstrom der Scholastik hat die zwei Ebenen des Gewissens in den Begriffen Synderesis und Conscientia ausgedrückt. Das Wort Synderesis (Synteresis) war aus der stoischen Mikrokosmoslehre in die mittelalterliche Gewissenstradition geraten[13]. Es blieb in seiner genauen Bedeutung unklar und wurde so zu einem Hindernis für eine sorg-

---

[12] Kurze Zusammenfassung der mittelalterlichen Gewissenslehre bei *H. Reiner,* a.a.O., S. 582f.

[13] Vgl. *E. von Ivánka,* Plato christianus, Einsiedeln 1964, S. 315–351, bes. 320f.

same Entfaltung dieser wesentlichen Ebene der ganzen Frage nach dem Gewissen. Ich möchte deshalb, ohne in geistesgeschichtliche Dispute einzutreten, dieses problematische Wort durch den viel deutlicher bestimmten platonischen Begriff der Anamnesis ersetzen, der nicht nur sprachlich klarer sowie philosophisch tiefer und reiner ist, sondern vor allem auch mit wesentlichen Motiven des biblischen Denkens und der von der Bibel her entwickelten Anthropologie zusammenklingt.

Mit dem Wort Anamnesis soll hier genau das ausgesagt sein, was Paulus im zweiten Kapitel des Römerbriefs so ausgedrückt hat: „Wenn also Heiden, die das Gesetz nicht haben, von sich aus tun, was das Gesetz will, sind sie, die das Gesetz nicht haben, sich selbst Gesetz. Sie erweisen, dass das vom Gesetz geforderte Werk in ihre Herzen geschrieben ist, wobei ihr Gewissen Zeugnis ablegt ..." (2, 14f.).

Derselbe Gedanke findet sich eindrucksvoll entfaltet in der großen Mönchsregel des heiligen Basilius. Dort lesen wir: „Die Liebe zu Gott beruht nicht auf einer von außen uns auferlegten Disziplin, sondern sie ist konstitutiv als Fähigkeit und Notwendigkeit unserem Vernunftwesen eingestiftet." Basilius spricht mit einem in der mittelalterlichen Mystik wichtig gewordenen Wort von dem „Funken göttlicher Liebe, der in uns eingeboren ist"[14]. Im Geist der johanneischen Theologie weiß er, dass die Liebe im Halten der Gebote besteht, und deswegen bedeutet der uns schöpfungsmäßig eingesenkte Funke der Liebe dies: „Fähigkeit und Bereitschaft zum Vollzug aller göttlichen Gebote haben wir im Voraus innen empfangen ... sie sind nicht etwas von außen Auferlegtes." Das Gleiche auf seinen einfachen Kern zurückführend, sagt Augustinus dazu: „Wir könnten nicht urteilend sagen, dass das eine besser sei als das andere, wenn uns nicht ein Grundverständnis des Guten eingeprägt wäre."[15]

Das bedeutet: Die erste, sozusagen *ontologische Schicht* des Phänomens *Gewissens* besteht darin, dass uns so etwas wie eine *Ur-*

---

[14] Regulae fusius tractatae Resp 2, 1: PG 31, 908.
[15] De trin. VIII 3, 4: PL 42, 949.

erinnerung an das Gute und *an das Wahre* (beides ist identisch) eingefügt ist; dass es eine innere Seinstendenz des gottebenbildlich geschaffenen Menschen auf das Gottgemäße hin gibt. Sein Sein selbst klingt von seinem Ursprung her mit dem einen zusammen und steht im Widerspruch mit dem anderen. Diese Anamnese des Ursprungs, die sich aus der gottgemäßen Konstitution unseres Seins ergibt, ist nicht ein begrifflich artikuliertes Wissen, ein Schatz von abrufbaren Inhalten. Sie ist sozusagen ein innerer Sinn, eine Fähigkeit des Wiedererkennens, sodass der davon Angesprochene und inwendig nicht verborgene Mensch das Echo darauf in sich erkennt. Er sieht: Das ist es, worauf men Wesen hinweist und hin will.

Auf dieser *Anamnese des Schöpfers,* die *mit* dem *Grund unserer Existenz identisch ist,* beruhen *Möglichkeit* und *Recht der Mission.* Das Evangelium darf, ja muss den Heiden verkündet werden, weil sie selbst im Verbogenen darauf warten (vgl. Jes 42, 4). Die Mission rechtfertigt sich dann, wenn ihre Adressaten bei dem Begegnen mit dem Wort des Evangeliums wieder erkennen: Ja, das ist es, worauf ich gewartet habe. In diesem Sinn kann Paulus sagen: Die Heiden sind sich selbst Gesetz – nicht in der Weise des neuzeitlich-liberalistischen Autonomiegedankens mit seiner Unübersteiglichkeit des Subjekts, sondern in dem viel tieferen Sinn, dass mir nichts so wenig gehört wie ich mir selbst, dass mein eigenes Ich der Ort der tiefsten Selbstüberschreitung und des Berührtseins von dem ist, woher ich komme und wohin ich gehe. Paulus drückt in diesen Sätzen die Erfahrung aus, die er selbst als Heidenmissionar gemacht hatte und die vorher schon Israel im Umgang mit den „Gottesfürchtigen" erleben durfte: Israel hatte in der Heidenwelt erleben können, was die Boten Jesu Christi erneut bestätigt fanden. Ihre Verkündigung antwortete einer Erwartung. Sie traf auf ein ihr vorgängiges Grundwissen um die wesentlichen Konstanten des in den Geboten schriftlich gewordenen Gotteswillens, das sich in allen Kulturen findet und sich um so reiner entfaltet, je weniger zivilisatorische Eigenmacht dieses Urwissen verstellt. Je mehr der Mensch aus der „Gottesfurcht" lebt – man vergleiche die Korneliusgeschichte (bes. Apg 10, 34) —, desto konkreter und klarer wird diese Anamnese auch wirksam.

Nehmen wir noch einmal eine Formulierung des heiligen Basilius auf: Die Gottesliebe, die in den Geboten konkret ist, wird uns nicht von außen auferlegt, betont der Kirchenlehrer, sondern sie ist uns im Voraus eingesenkt. Der *Sinn für das Gute ist uns eingeprägt*, formuliert es Augustinus. Nur von hier aus kann man Newmans bekanntes Wort recht verstehen, bei einem eventuellen Toast auf die Religion werde er den Papst hochleben lassen, aber noch vor ihm das Gewissen. Der Papst kann dem gläubigen Katholiken nicht Gebote auferlegen, weil er es will oder weil er es für nützlich findet. Ein solcher neuzeitlich-voluntaristischer Begriff von Autorität kann den wahren theologischen Sinn des Papsttums nur verstellen. Das wahre Wesen des Petrusamtes ist in der Neuzeit wohl gerade deswegen so unverständlich geworden, weil wir Autorität bloß noch von Anschauungen her denken können, in denen es zwischen Subjekt und Objekt keine Brücke mehr gibt und daher alles, was nicht aus dem Subjekt kommt, nur äußerlich auferlegte Fremdbestimmung sein kann.

Von der Anthropologie des Gewissens her, wie wir sie in diesen Überlegungen allmählich zu ertasten versuchen, stellen sich die Dinge ganz anders dar. Die unserem Sein eingesenkte Anamnese braucht sozusagen die Nachhilfe von außen, damit sie ihrer selbst inne wird. Aber dies Äußere ist doch nicht etwas ihr Entgegengesetztes, sondern ihr zugeordnet: Es hat mäeutische Funktion, legt ihr nicht Fremdes auf, sondern bringt ihr eigenes, ihre eigene innere Eröffnetheit für die Wahrheit zum Vollzug. Wo es um Glaube und Kirche geht, deren Radius vom erlösenden Logos her über die Gabe der Schöpfung hinausreichen, müssen wir allerdings noch eine weitere Ebene hinzunehmen, die besonders in den Johanneischen Schriften entwickelt ist. Johannes kennt die *Anamnesis des neuen Wir,* das uns in der *Einkörperung in Christus* (ein Leib, d. h.: ein Ich mit ihm) zuteil geworden ist. Erinnernd begriffen sie, heißt es verschiedentlich im Evangelium. Die Urbegegnung mit Jesus hat den Jüngern das gegeben, was nun alle Generationen durch ihre grundlegende Begegnung mit dem Herrn in Taufe und Eucharistie empfangen: *die neue Anamnese des Glaubens,* die sich ähnlich wie die Schöpfungsanamnese im ständigen Dialog von innen und außen entfaltet. Gegenüber der Anmaßung gnostischer Lehrer, die den Gläubigen einreden wollten, ihr naiver Glaube müsse ganz anders aufgefasst und gewendet werden, konnte Johannes daher sagen: Ihr braucht solcher Belehrung nicht; als Gesalbte (Getaufte) wisst ihr alles (1 Joh 2, 20). Das bedeutet nicht ein inhaltliches Alles-Wissen der Gläubigen, aber es bedeutet die Untrüglichkeit des christlichen Gedächtnisses, das zwar immer lernt, aber aus seiner sakramentalen Identität heraus von innen her unterscheidet zwischen dem, was Entfaltung des Erinnerns und was seine Zerstörung oder Verfälschung ist.

Die Kraft dieses Erinnerns und die Wahrheit des apostolischen Wortes erfahren wir heute in der Krise der Kirche ganz neu, wo weit mehr als die hierarchische Weisung die Unterscheidungskraft des einfachen Glaubensgedächtnisses zur Scheidung der Geister führt. Nur in diesem Zusammenhang kann man den Primat des Papstes und seinen Zusammenhang mit dem christlichen Gewissen richtig verstehen. Der *wahre Sinn der Lehrgewalt des Papstes* besteht darin, dass er *Anwalt des christlichen Gedächtnisses* ist. Der Papst legt nicht von außen auf, sondern er entfaltet das christliche Gedächtnis und verteidigt es. Deshalb muss in der Tat der Toast auf das Gewissen demjenigen auf den Papst vorangehen, weil es *ohne Gewissen* gar *kein Papsttum* gäbe. Alle Macht, die es hat, ist Macht des Gewissens – Dienst an der doppelten Erinnerung, auf der der Glaube ruht und die immer wieder neu geeignet, erweitert und verteidigt werden muss gegen die Zerstörung des Gedächtnisses, das sowohl durch eine den eigenen Grund vergessende Subjektivität wie durch den Zwang sozialer und kultureller Konformität bedroht ist.

b) Conscientia

Nach diesen Erwägungen über die erste – wesentlich ontologische – Ebene des Gewissensbegriffs müssen wir uns nun dessen zweiter Schicht zuwenden, die in der mittelalterlichen Tradition allein mit dem Wort Conscientia – Gewissen – bezeichnet wird. Vermutlich hat diese terminologische Tradition nicht unerheblich zur neuzeitlichen Schrumpfung des Gewissensbegriffs beigetragen.

Weil zum Beispiel Thomas nur diese zweite Ebene als Conscientia bezeichnet, ist folgerichtig für ihn das Gewissen kein „habitus", das heißt keine dauernde seinshafte Qualität des Menschen, sondern „actus" – ein Geschehen im Vollzug. Thomas setzt aber dabei selbstverständlich die ontologische Grundlage der Anamnese (Synderesis) als gegeben voraus; er beschreibt diese letzte als ein inneres Widersprechen gegen das Böse und eine innere Zugeordnetheit zum Guten in uns. Der Gewissensakt wendet dieses Grundwissen in den einzelnen Situationen an. Er gliedert sich nach Thomas in drei Elemente: Das Wiedererkennen (recognoscere), das Zeugnisablegen (testificari) und schließlich das Urteilen (iudicare). Man könnte von einem Zusammenspiel zwischen Kontrollfunktion und Entscheidungsfunktion sprechen[16]. Thomas sieht diesen Vorgang von der aristotelischen Tradition her im Modell eines Schlussverfahrens. Aber er betont sehr nachdrücklich das Spezifische dieses Handlungswissens, dessen Schlussfolgerungen nicht aus bloßem Wissen oder Denken kommen[17].

Ob hier *etwas erkannt oder nicht erkannt wird, hängt* immer auch *vom Willen* ab, der *Erkenntnis versperrt oder zur Erkenntnis führt.* Es hängt also von einer schon gegebenen moralischen Prägung ab, die dann entweder weiter verformt oder weiter gereinigt wird[18].

Auf dieser Ebene, der Ebene des Urteilens (Conscientia im engeren Sinn), gilt, dass auch das irrige Gewissen bindet. Dieser Satz ist aus der rationalen Tradition der Scholastik heraus völlig klar. Niemand darf gegen seine Überzeugung handeln, wie es schon

---

[16] Vgl. *H. Reiner*, a.a.O., S. 582: S. theol I q 79 a 13; de ver. Q 17 a.

[17] Vgl. dazu die sorgsame Untersuchung von *L. Melina*, La conoscenza morale. Linee di riflessione sul Commento di san Tommaso all'Etica Nicomachea, Roma 1987, S. 69ff.

[18] Augustinus hat in der Reflexion seiner eigenen inneren Erfahrung in den der Bekehrung folgenden Jahrzehnten seines Lebens über diese Zusammenhänge von Erkenntnis, Wille, Emotionalität, Prägung durch Gewöhnung grundlegende Erkenntnisse zum Wesen von Freiheit und Moralität erarbeitet, die heute neu aufgenommen werden müssten. Vgl. die ausgezeichnete Darstellung von *P. Brown*, Augustinus von Hippo. Eine Biographie, übers. v. J. Bernard, Leipzig 1972, bes. S. 126–136.

der hl. Paulus gesagt hatte (Röm 14, 23)[19]. Aber dass die gewonnene Überzeugung selbstverständlich im Augenblick des Handelns bindet, bedeutet keine Kanonisierung der Subjektivität. Es ist *nie Schuld, der gewonnenen Überzeugung zu folgen* – man muss es sogar. Aber es kann sehr wohl *Schuld* sein, dass man *zu so verkehrten Überzeugungen gelangt* ist und den Widerspruch der Anamnese des Seins niedergetreten hat. Die *Schuld* liegt dann woanders, *tiefer:* nicht in dem jetzigen Akt, nicht in dem jetzigen Gewissensurteil, sondern *in* der *Verwahrlosung meines Seins,* die mich stumpf gemacht hat für die Stimme der Wahrheit und deren Zuspruch in meinem Innern. Deshalb bleiben Überzeugungstäter wie Hitler und Stalin schuldig. Diese krassen Exempel sollen aber nicht dazu dienen, uns über uns selbst zu beruhigen, sondern sie sollten uns aufschrecken und uns den Ernst der Bitte eindrücklich machen: Von meiner unerkannten Schuld befreie mich (Ps 19, 13).

4. Epilog: Gewissen und Gnade

Am Ende bleibt noch die Frage, von der wir ausgegangen sind: Ist nicht doch Wahrheit, so jedenfalls wie der Glaube der Kirche sie uns zeigt, für den Menschen zu hoch und zu schwer? Nun, wir können darauf nach allem Überlegten sagen: Gewiss, der Höhen-

---

[19] Dass genau dies auch die Position des hl. Thomas von Aquin ist, zeigt die äußerst erhellende Untersuchung von *J. G. Belmans,* Le paradoxe de la conscience erronée d'Abélard à Karl Rahner, in: Revue Thomiste 90 (1990) 570–586. Belmans macht sichtbar, wie mit dem 1942 erschienenen Thomasbuch von Sertillanges eine dann breit rezipierte Verfälschung der Gewissenslehre des Aquinaten einsetzt, die – etwas vereinfachend gesagt – darin besteht, dass nun nur noch S. theol I–II q 19 a 5 („Muss man einem irrigen Gewissen folgen?") zitiert und der folgende art. 6 („Genügt es, seinem Gewissen zu folgen, um gut zu handeln?") schlichtweg ausgelassen wird. Das bedeutet, dass man nun Thomas die Lehre des Abaelard unterschiebt, die zu überwinden Ziel des Aquinaten war. Abaelard hatte gelehrt, dass die Kreuziger Christi nicht gesündigt hätten, da sie aus Unwissenheit handelten. Die einzige Art zu sündigen bestehe darin, gegen das Gewissen zu handeln. Die modernen Theorien von der Gewissensautonomie können sich auf Abaelard berufen, aber nicht auf Thomas.

weg zur Wahrheit, zum Guten ist nicht bequem. Er fordert den Menschen. Aber nicht das bequeme Bleiben bei sich selbst erlöst ihn; darin verkümmert er und verliert sich. In der Bergwanderung des Guten entdeckt er immer mehr die Schönheit, die in der Mühsal der Wahrheit liegt und dass gerade sie für ihn das Erlösende ist. Aber damit ist doch noch nicht alles gesagt.

Wir würden *Christentum in Moralismus auflösen, wenn nicht* eine *Botschaft* sichtbar würde, die *über unser eigenes Tun hinausgeht.* Ohne viele Worte kann uns dies in einem Bild aus der griechischen Welt sichtbar werden, an dem wir zugleich sehen, wie die Anamnese des Schöpfers sich in uns ausstreckt auf den Erlöser hin und jeder Mensch ihn als Erlöser zu begreifen vermag, weil er auf unsere innerste Erwartung antwortet. Ich meine die Geschichte von der Entsühnung des Muttermörders Orest. Er hatte den Mord als eine Gewissenstat begangen, was die Sprache des Mythos als Gehorsam gegen den Befehl eines Gottes, Apollo, bezeichnet. Aber nun jagen ihn die Erinnyen, die wiederum als mythische Personifikationen des Gewissens anzusehen sind, das aus tieferem Erinnern ihm quälend vorhält, dass sein Gewissensentscheid, sein Gehorsam gegen den „Götterspruch" in Wirklichkeit Schuld war.

Die ganze Tragik des Menschen kommt in diesem Streit der „Götter", in diesem Widerspruch des Gewissens zum Vorschein. Im heiligen Gericht wird für Orest dann der weiße Stein Athenes zum Freispruch, zur Heiligung, in deren Kraft sich die Erinnyen zu Eumeniden, zu Geistern der Versöhnung wandeln: die Sühne hat die Welt verändert. In diesem Mythos wird nicht nur der Übergang vom System der Blutrache zum geordneten Recht der Gemeinschaft dargestellt, sondern mehr. Hans Urs von Balthasar hat dieses mehr so ausgedrückt: „… Die stillende Gnade ist … immer Mit-Einstiftung des Rechts, nicht des alten gnadenlosen der Erinnyenzeit, wohl eines gnadenvollen Rechts …"[20]. In diesem Mythos spricht zu uns die Sehnsucht danach, dass der objektiv ge-

---

[20] *H. U. von Balthasar,* Herrlichkeit. Eine theologische Ästhetik 3/1: Im Rahmen der Metaphysik, Einsiedeln 1965, S. 112.

rechte Schuldspruch des Gewissens und die daraus folgende zerstörerische innere Not nicht das Letzte seien, sondern dass es eine Vollmacht der Gnade gebe, eine Kraft der Sühne, die die Schuld verschwinden lässt und Wahrheit erst wirklich erlösend macht. Es ist die Sehnsucht danach, dass die Wahrheit uns nicht nur fordert, sondern auch verwandelnde Sühne und Verzeihung sei, durch die – wie Aischylos es sagt – „die Schuld abgewaschen"[21] und unser Sein über unser Vermögen hinaus von innen her verwandelt wird. Dies ist *die eigentliche Neuheit des Christentums: Der Logos,* die Wahrheit in Person, *ist auch* die *Sühne,* die *verwandelnde Vergebung* über all unser eigenes Vermögen und Unvermögen hinaus.

Darin besteht das wahrhaft Neue, auf dem das größere christliche Gedächtnis gründet, welches doch zugleich auch tiefste Antwort darauf ist, was die Anamnese des Schöpfers in uns erwartet. *Wo diese Mitte der christlichen Botschaft nicht genügend gesagt und gesehen wird, da wird die Wahrheit* in der Tat zum *Joch,* das zu *schwer* ist *für unsere Schultern* und von dem wir uns zu befreien suchen müssen. Aber die so errungene Freiheit ist leer. Sie führt ins öde Land des Nichts, und sie zerfällt so von selbst. Das Joch der Wahrheit ist „leicht" geworden (Mt 11, 30), als die Wahrheit kam, uns liebte und unsere Schuld in ihrer Liebe verbrannte. Erst wenn wir dies von innen her wissen und erfahren, werden wir frei, die Botschaft des Gewissens angstlos und freudig zu hören.

---

[21] Aischylos, Eumeniden 280–1; vgl. *Balthasar,* ebd.

II
Auf der Suche nach dem Frieden
Spannungen und Gefahren

Als am 6. Juni 1944 das débarquement der alliierten Truppen in dem von der deutschen Wehrmacht besetzten Frankreich begann, war das für die Menschen in der weiten Welt und auch für sehr viele Menschen in Deutschland ein Signal der Hoffnung auf einen baldigen Frieden und auf Freiheit in Europa. Was war geschehen? Einem Verbrecher und seinen Parteigängern war es gelungen, in Deutschland die Macht des Staates an sich zu reißen. Dies hatte zur Folge, dass in der Herrschaft der Partei Recht und Unrecht ineinander verknotet wurden und oft fast untrennbar ineinander übergingen. Denn die von einem Verbrecher geleitete Regierung nahm doch auch die Recht schaffenden Funktionen des Staates und seiner Ordnungen wahr. Sie konnte so in einer Hinsicht den Rechtsgehorsam des Bürgers und die Achtung vor der Autorität des Staates einfordern (Röm 13,1ff!), aber zugleich benützte sie die Instrumente der Rechtswahrnehmung auch als Werkzeuge für ihre verbrecherischen Ziele. Die Rechtsordnung selbst, die zum Teil im Alltagsleben in den gewohnten Formen weiter funktionierte, war gleichzeitig zur Macht der Rechtszerstörung geworden: Die Perversion der Ordnungen, die der Gerechtigkeit dienen sollten und zugleich die Herrschaft des Unrechts festigten und undurchdringlich machten, bedeutete zutiefst eine Herrschaft der Lüge, die die Gewissen verdunkelte. Dieser Herrschaft der Lüge diente ein System der Furcht, in dem keiner dem anderen trauen durfte, weil jeder irgendwie sich unter der Maske der Lüge schützen musste, die einerseits dem Selbstschutz diente, zugleich aber zur Festigung der Macht des Bösen beitrug.

So musste in der Tat die ganze Welt eingreifen, um den Ring des Verbrechens aufzusprengen, um Freiheit und Recht wieder herzustellen. Dafür, dass dies geschehen ist, danken wir in dieser Stunde, und es danken nicht nur die von deutschen Truppen besetzten und so dem Nazi-Terror ausgelieferten Länder. Es danken auch wir Deutschen selbst, dass uns Freiheit und Recht durch diesen Einsatz wiedergegeben worden sind. Wenn irgendwo in der Geschichte, so ist hier offenkundig, dass es sich bei dem Einsatz der Alliierten um ein bellum iustum handelte, das letztlich auch dem Wohle derer diente, gegen deren Land der Krieg geführt worden ist.

Eine solche Feststellung scheint mir wichtig, weil sie an einem realen historischen Vorgang die Unhaltbarkeit eines absoluten Pazifismus aufzeigt. Das entbindet freilich nicht von der Aufgabe, die Frage sehr sorgsam zu stellen, ob und unter welchen Bedingungen auch heute so etwas wie ein gerechter Krieg, das heißt ein dem Frieden dienender und unter seinen moralischen Maßstäben stehender militärischer Eingriff gegenüber bestehenden Unrechtssystemen möglich ist. Vor allem aber ist hoffentlich aus dem bisher Gesagten deutlich geworden, dass Friede und Recht, Friede und Gerechtigkeit untrennbar zueinander gehören. Wo immer Recht zerstört wird, wo immer Ungerechtigkeit Macht erhält, ist der Friede gefährdet und ein Stück weit bereits zerbrochen. Sorge für den Frieden ist daher zuallererst Sorge um eine Gestalt des Rechts, die Gerechtigkeit für den einzelnen und für die Gemeinschaft im ganzen gewährt.

1. Eine Friedensperiode aus gemeinsamer Verantwortung für das Recht

In Europa wurde uns nach dem Ende der Feindseligkeiten im Mai 1945 eine Friedensperiode geschenkt, wie unser Kontinent sie über eine so lange Zeit hin wohl in seiner ganzen Geschichte nicht gekannt hat. Das ist zu einem nicht geringen Teil das Verdienst der ersten Generation von Politikern nach dem Krieg – Churchill, Adenauer, Schumann, De Gasperi, denen wir in dieser Stunde zu danken haben: Wir haben dafür zu danken, dass nicht der Gedanke der Bestrafung oder gar der Rache und der Demütigung der Unterlegenen bestimmend wurde, sondern allen ihr Recht gewährt werden sollte; dass an die Stelle der Konkurrenz die Zusammenarbeit trat, das gegenseitige Geben und Nehmen, das Kennenlernen und die Freundschaft gerade in der Verschiedenheit, in der die einzelnen Nationen ihre Identität bewahren und sie in der gemeinsamen Verantwortung für das Recht nach der vorangegangenen Perversion des Rechts zusammenhalten. Tragende Mitte dieser friedenstiftenden Politik war die Bindung des politischen Handelns an die Moral. Der innere Maßstab aller Politik sind die moralischen Werte, die nicht von uns erfunden, sondern gefunden werden und die für alle Menschen gleich sind.

Sagen wir es offen: Diese Politiker haben ihre moralische Idee des Staates, des Rechts, des Friedens und der Verantwortung aus ihrem christlichen Glauben genommen, der durch die Prüfungen der Aufklärung hindurchgegangen war und im Gegenüber zur parteilichen Verdrehung von Recht und Moral sich weiter gereinigt hatte. Sie wollten nicht einen Glaubensstaat konstruieren, sondern einen von der sittlichen Vernunft geformten Staat, aber ihr Glaube hatte ihnen geholfen, die von der ideologischen Tyrannei geknechtete und entstellte Vernunft wieder aufzurichten und zum Leben zu bringen. Sie haben eine Politik der Vernunft gemacht – der moralischen Vernunft; ihr Christentum hatte sie nicht von der Vernunft entfernt, sondern ihre Vernunft erleuchtet.

Freilich müssen wir hinzufügen: Durch Europa lief eine Grenze, die nicht nur unseren Kontinent, sondern die ganze Welt zerschnitt. Ein großer Teil Mitteleuropas und Osteuropa standen unter der Herrschaft einer Ideologie, die sich der Partei bediente und den Staat der Partei unterstellte, also parteilich machte. Auch hier war eine Herrschaft der Lüge und eine Zerstörung des gegenseitigen Vertrauens die Folge. Nach dem Zusammenbruch dieser Diktaturen sind die ungeheueren wirtschaftlichen, ideologischen und seelischen Zerstörungen sichtbar geworden, die aus dieser Herrschaft folgten. Im Balkan kam es zu kriegerischen Verwicklungen, in denen freilich auch alte geschichtliche Lasten neue Explosionen der Gewalt mit sich brachten. Wenn wir das Verbrecherische jener Regime betonen und ob ihrer Überwindung froh sind, müssen wir doch auch fragen, warum dem größten Teil der afrikanischen und asiatischen Völker, den sogenannten blockfreien Staaten, das System des Ostens moralischer und für die eigene politische Gestaltung realistischer erschien als die politische und rechtliche Ordnung des Westens. Das zeigt ohne Zweifel Defizite unserer Struktur an, über die wir nachzudenken haben.

Wenn Europa seit 1945, von den Verwicklungen im Balkan abgesehen, eine Periode des Friedens erleben durfte, so war freilich die Situation der Welt im ganzen alles andere als friedvoll. Von Korea über Vietnam, Indien, Pakistan, Bangladesh, Algerien, Kongo, Biafra-Nigeria bis in die Auseinandersetzungen im Sudan, in Ruanda-Burundi, Äthiopien, Somalia, Mozambique, Angola, Liberia, bis Afghanistan und Tschetschenien reicht ein blutiger Bogen von kriegerischen Auseinandersetzungen, denen die Kämpfe in und um das Heilige Land und im Irak anzufügen sind. Es ist hier nicht der Ort, die Typologie dieser Kriege zu untersuchen, deren Wunden noch weithin schwelen. Aber zwei in gewisser Hinsicht neue Phänomene möchte ich etwas näher beleuchten, weil in ihnen die spezifische Gefährdung und damit auch die besondere Aufgabe unserer Zeit für die Suche nach dem Frieden zum Vorschein kommt.

2. Auflösungen des Rechts und der Versöhnungsfähigkeit

Das eine besteht darin, dass der Zusammenhalt des Rechts und die Fähigkeit, in unterschiedlichen Gemeinschaften zusammenzuleben, plötzlich zu zerbrechen scheint. Ein typisches Beispiel für das Zerbrechen der tragenden Kraft des Rechts und damit das Absinken in Chaos und Anarchie scheint mir in Somalia vorzuliegen, aber auch Liberia bietet ein Beispiel dafür, wie eine Gesellschaft sich von innen her auflöst, weil die staatliche Autorität nicht imstande ist, sich als Kraft des Friedens und der Freiheit glaubwürdig zu machen und so jeder anfängt, sein Recht auf eigene Faust zu suchen. Ähnliches haben wir nach dem Zerbrechen des jugoslawischen Einheitsstaates in Europa erleben müssen. Bevölkerungsgruppen, die seit Generationen trotz mancherlei Spannungen friedlich miteinander gelebt hatten, gingen plötzlich mit unbegreiflicher Grausamkeit gegeneinander vor. Es war ein Dammbruch der Seelen; die schützenden Kräfte hielten in einer neuen Situation nicht mehr stand, und das bislang durch die Kräfte des Rechts und der gemeinsamen Geschichte gebändigte Arsenal an Feindseligkeit und Gewaltbereitschaft, das in der Tiefe der Seelen lauerte, brach ungehemmt hervor. Gewiss, in diesem Raum wohnten unterschiedliche geschichtliche Überlieferungen beieinander, die immer in latenter Spannung zueinander standen: Lateinische und griechische Form des Christentums treffen sich da, und dazu ist durch die jahrhundertelange türkische Herrschaft der Islam wirksam gegenwärtig. Aber in allen Spannungen hat es doch ein Miteinander gegeben, das sich nun auflöste und in die Anarchie trieb.

Wie war das möglich? Wie war es in Ruanda möglich, dass plötzlich überall das Miteinander zwischen Hutu und Tutsi zu einem blutigen Gegeneinander wurde? Die Ursachen für diese Auflösung des Rechts und der Versöhnungsfähigkeit sind gewiss vielfältig. Die eine und andere davon können wir benennen. Der Zynismus der Ideologie hatte in all diesen Räumen die Gewissen verdunkelt: Die *Verheißungen der Ideologie* rechtfertigten alle dafür tauglich scheinenden Mittel und hatten so den Begriff des Rechts, ja, die Unterscheidung von gut und böse aufgehoben. Neben dem *Zynismus der Ideologien* und oft eng mit ihm verquickt steht der *Zynismus der Interessen und des großen Geschäfts*, die gewissenlose Ausbeutung der Reserven der Erde. Auch hier wird das Gute durch das Nützliche beiseite geschoben und Macht an die Stelle von Recht gesetzt. So löst sich die Kraft des Ethos auf diesem Weg von innen her auf, und am Ende wird schließlich auch der angestrebte Nutzen zerstört.

An dieser Stelle zeigt sich eine große Aufgabe für die Christen in der Gegenwart: Wir müssen zuerst untereinander die Fähigkeit der Versöhnung erlernen und alles tun, damit das Gewissen Macht hat und nicht von Ideologie oder Interesse zertreten wird. Speziell im Balkan (und Ähnliches gilt auch für Irland) müsste es die Aufgabe des wahren Ökumenismus sein, miteinander den Frieden Christi zu suchen, ihn einander zu schenken und die Fähigkeit zum Frieden gerade auch als Kriterium der Wahrheit anzusehen.

3. Das Phänomen des Terrors

Das andere neue Phänomen, das uns heute vor allem bedrängt, ist der *Terror*, der inzwischen zu einer Art von neuem Weltkrieg geworden ist – ein Krieg ohne festgelegte Fronten, der überall zuschlagen kann und die Unterscheidung von Kämpfenden und Zivilbevölkerung, von Schuldigen und Unschuldigen nicht mehr kennt. Weil der Terror oder auch das ganz gewöhnliche organisierte Verbrechen, das sein Netz immer weiter verstärkt und ausbreitet, auch Zugang zu Atomwaffen und zu biologischen Waffen finden könnte, ist die Gefahr erschreckend groß geworden, die hier droht: Solange diese Zerstörungspotenziale allein in den Händen der Großmächte waren, konnte man immer hoffen, dass die Vernunft und das Wissen um die Gefährdung des eigenen Volkes und Staates die Verwendung dieser Waffensysteme ausschließen würde. Tatsächlich ist uns ja trotz aller Spannungen zwischen Ost und West der große Krieg gottlob erspart geblieben. Bei den Kräften des Terrors und den Organisationen des Verbrechens kann man auf solche Vernunft nicht mehr rechnen, weil die Bereitschaft zur Selbstzerstörung ein Grundelement in der Macht des Terrors darstellt – eine Selbstzerstörung, die als Martyrium verklärt und in Verheißung umgewandelt wird.

Was können, was müssen wir tun in dieser Situation? Zunächst sind einige Grundwahrheiten zu beachten. Terror, das heißt rechtswidrige und von Moral losgelöste Gewalt kann nicht durch Gewalt allein überwunden werden. Gewiss, die Verteidigung des Rechts gegen die rechtszerstörende Gewalt darf und muss sich unter Umständen ihrerseits einer genau abgewogenen Gewalt bedienen, um das Recht zu schützen. Ein absoluter Pazifismus, der dem Recht jedwedes Mittel der Durchsetzung abspricht, wäre die Kapitulation vor dem Unrecht, würde dessen Machtergreifung sanktionieren und die Welt dem Diktat der Gewalt überliefern, wie wir es eingangs schon kurz bedacht hatten. Aber damit die Rechtsgewalt nicht selbst Unrecht wird, muss sie sich strengen Maßstäben unterwerfen, die als solche allen erkennbar sein müssen. Sie muss auf die Ursachen des Terrors achten, der seine Quelle sehr oft in bestehendem Unrecht hat, dem keine wirksamen Maßnahmen entgegentreten. Sie muss daher auf die Beseitigung des vorausgehenden Unrechts mit allen Mitteln bedacht sein. Vor allem ist es wichtig, immer wieder einen Vorschuss an *Vergebung* zu gewähren, um den Ring der Gewalt zu durchbrechen. Wo das „Aug' um Auge" gnadenlos geübt wird, ist kein Ausweg aus der Gewalt zu finden. Gesten einer die Gewalt durchbrechenden Menschlichkeit, die im andern den Menschen sucht und an seine Menschlichkeit appelliert, sind auch da notwendig, wo sie auf den ersten Blick verschwendet scheinen.

In all diesen Fällen ist es wichtig, dass nicht eine bestimmte Macht allein als Wahrer des Rechts auftritt. Allzu leicht mischen sich dann eigene Interessen in die Aktion ein und verunreinigen den Blick auf die Gerechtigkeit. Ein wirkliches ius gentium ohne hegemonische Übergewichte und entsprechende Aktionen sind dringend: Nur so kann klar bleiben, dass es um den Schutz des gemeinsamen Rechts aller geht, auch derer, die sozusagen auf der anderen Seite der Front stehen. Das war es, was im Zweiten Weltkrieg überzeugen konnte und wirklichen Frieden zwischen den Verfeindeten geschaffen hat. Es ging nicht um die Ausdehnung eigenen Rechts, sondern um die gemeinsame Freiheit und die Herrschaft des wirklichen Rechts, auch wenn natürlich das Entstehen neuer hegemonialer Strukturen nicht ganz ausbleiben konnte.

Aber bei dem gegenwärtigen Zusammenprall zwischen den großen Demokratien und dem islamisch motivierten Terror sind noch tiefer reichende Fragen im Spiel. Es scheinen ja zwei große kulturelle Systeme mit freilich sehr verschiedenen Formen der Macht und der moralischen Orientierung aufeinander zu prallen – der „Westen" und der Islam. Aber was ist das: der Westen? Und wer ist das: der Islam? Beides sind vielschichtige Welten mit großen inneren Unterschieden – Welten, die in vielem auch ineinander greifen. Insofern trifft die grobe Gegenüberstellung Westen–Islam nicht zu. Manche tendieren indes zu einer weiteren Vertiefung des Gegensatzes: Es stehe die aufgeklärte Vernunft einer fundamentalistisch-fanatischen Religionsform gegenüber. Dann ginge es vor allem darum, den Fundamentalismus in all seinen Formen abzubauen und der Vernunft zum Sieg zu verhelfen, die aufgeklärte Religionsformen zulässt, aber sie als aufgeklärte anerkennt, weil sie sich in allem den Kriterien dieser Vernunft unterwerfen.

4. Lebensgefährliche Pathologien für den Frieden

Daran ist richtig, dass das Verhältnis von Vernunft und Religion in dieser Situation von entscheidender Bedeutung ist und dass um das rechte Verhältnis beider zu ringen, zum Kern unserer Bemühungen in der Sache des Friedens gehört. Einen Satz von Hans Küng abwandelnd möchte ich sagen, dass es *ohne den rechten Frieden zwischen Vernunft und Glaube auch keinen Weltfrieden geben kann*, weil ohne den Frieden zwischen Vernunft und Religion die Quellen der Moral und des Rechts versickern. Um das Gemeinte zu klären, möchte ich denselben Gedanken negativ formulieren: Es gibt Pathologien der Religion – wir sehen es; und es gibt Pathologien der Vernunft – auch das sehen wir, und beide Pathologien sind lebensgefährlich für den Frieden, ja, im Zeitalter unserer globalen Machtstrukturen für die Menschheit im ganzen.

Sehen wir näher zu. Gott oder die Gottheit kann zur Verabsolutierung der eigenen Macht, der eigenen Interessen werden. Ein so parteilich gewordenes Gottesbild, das Gottes Absolutheit mit der eigenen Gemeinschaft oder ihren Interessenlagen identifiziert und daher Empirisches, Relatives zur Absolutheit erhebt, löst Recht und Moral auf: Das Gute ist dann das der eigenen Macht Dienende; der wirkliche Unterschied zwischen gut und böse zerfällt. Moral und Recht werden parteilich. Dies verschlimmert sich noch dadurch, dass der Wille zum Einsatz für das Eigene mit dem Fanatismus des Absoluten, dem religiösen Fanatismus aufgeladen und dadurch vollends brutal und blind wird. Gott ist zum Götzen geworden, in dem der Mensch seinen eigenen Willen anbetet. Wir sehen solches etwa in der Martyriumsideologie der Terroristen, die freilich im Einzelfall auch einfach Ausdruck der Verzweiflung an der Rechtlosigkeit der Welt sein kann. Wir haben im übrigen auch in den Sekten der westlichen Welt Beispiele eines Irrationalismus und einer Verdrehung des Religiösen vor uns, die zeigen, wie gefährlich Religion wird, die ihre Orientierung verliert.

Aber es gibt auch die Pathologie der von Gott gänzlich losgelösten Vernunft. Wir sahen es an den totalitären Ideologien, die sich von Gott losgelöst hatten und nun den neuen Menschen, die neue Welt konstruieren wollten. Hitler muss man wohl als einen Irrationalisten bezeichnen. Aber die großen Verkünder und Vollstrecker des Marxismus verstanden sich durchaus als Konstrukteure der Welt allein aus Vernunft. Vielleicht der dramatischste Ausdruck dieser Pathologie der Vernunft ist Pol Pot, wo die Grausamkeit einer solchen Rekonstruktion der Welt am unmittelbarsten in Erscheinung tritt. Aber auch die geistige Entwicklung im Westen tendiert immer mehr zu zerstörerischen Pathologien der Vernunft. War nicht schon die Atombombe eine Grenzüberschreitung, mit der die Vernunft, anstatt eine aufbauende Kraft zu sein, ihre Stärke in der Macht des Zerstören-Könnens suchte? Wenn die Vernunft nun mit der Erforschung des genetischen Code nach den Wurzeln des Lebens greift, tendiert sie immer mehr dazu, den Menschen nicht mehr als Geschenk des Schöpfers (oder der „Natur") zu sehen, sondern ihn zum Produkt zu machen. Der Mensch wird „gemacht", und was man „machen" kann, kann man auch zerstören. Die Menschenwürde löst sich auf. Und wo sollten dann die Menschenrechte noch eine Verankerung finden? Wie sollte die Achtung vor dem Menschen, auch dem besiegten, dem schwachen, dem leidenden, dem behinderten noch standhalten?

In all dem verflacht zugleich der Begriff der Vernunft immer mehr. Hatten die Alten zum Beispiel zwischen ratio und intellectus, der auf das Empirische und Machbare bezogenen und der in die tieferen Schichten des Seins hinein schauenden Vernunft unterschieden, so bleibt nun nur noch die ratio im engsten Sinne übrig. Nur noch das Verifizierbare, oder genauer: das Falsifizierbare gilt als vernünftig; die Vernunft reduziert sich auf das im Experiment Überprüfbare. Der ganze Bereich des Moralischen und Religiösen gehört dann dem Raum des „Subjektiven" zu – er fällt aus der gemeinsamen Vernunft heraus. Religion und Moral gehören dann nicht mehr der Vernunft an; es gibt keine „objektiven", gemeinsamen Maßstäbe des Moralischen mehr. Für die Religion sieht man das nicht als weiter tragisch an – jeder finde die Seine, das heißt, sie wird ohnedies als eine Art subjektiver Verzierung mit eventuell nützlichen Motivationskräften angesehen.

Im Bereich der Moral versucht man doch nachzubessern. Freilich – wenn alle Wirklichkeit nur Produkt mechanischer Prozesse ist, dann trägt sie als solche keine Moral in sich. Das Gute als solches, das Kant noch so am Herzen lag, gibt es dann nicht mehr. Gut ist bloß „besser als", hat ein mittlerweile verstorbener Moraltheologe einmal gesagt. Wenn es so ist, gibt es auch das an sich und immer Böse nicht. Was gut und böse ist, hängt dann vom Kalkül der Folgen ab. Und so haben nun in der Tat die ideologischen Diktaturen gehandelt: Im gegebenen Fall, wenn es dem Aufbau der zukünftigen Welt der Vernunft dient, kann es auch einmal gut sein, unschuldige Menschen umzubringen. Ihre absolute Würde gibt es ohnedies nicht mehr. Die erkrankte Vernunft und die missbrauchte Religion treffen sich da schließlich im gleichen Ergebnis. Der erkrankten Vernunft erscheint schließlich alle Erkenntnis von definitiv gültigen Werten, alles Stehen zur Wahrheitsfähigkeit der Vernunft als Fundamentalismus. Ihr bleibt nur noch das Auflösen, die Dekonstruktion, wie sie uns etwa Jacques Derrida vorexerziert: Er hat die Gastfreundschaft „dekonstruiert", die Demokratie, den Staat und schließlich auch den Begriff des Terrorismus, um dann doch erschreckt vor den Ereignissen des 11. September zu stehen. *Eine Vernunft, die nur noch sich selber und das empirisch Gewisse anerkennen kann, lähmt und zersetzt sich selber.*

Der Glaube an Gott, der Begriff Gottes kann missbraucht werden und wird dann zerstörerisch: Das ist die Gefährdung der Religion. Aber eine Vernunft, die sich völlig von Gott löst und ihn bloß noch im Bereich des Subjektiven ansiedeln will, wird orientierungslos und öffnet so ihrerseits den Kräften der Zerstörung die Tür. Wenn in der Aufklärung nach Moralbegründungen gesucht wurde, die auch dann noch gelten würden, etsi Deus non daretur, so müssen wir heute unsere agnostischen Freunde einladen, sich einer Moral zu öffnen „si Deus daretur". Kolakowski hat von den Erfahrungen einer atheistisch-agnostischen Gesellschaft herkommend eindringlich gezeigt, dass ohne diesen absoluten Bezugspunkt das Handeln des Menschen sich im Unbestimmten verliert und dann den Mächten des Bösen heillos ausgeliefert ist.[1] Als Christen sind wir heute aufgefordert, nicht etwa die Vernunft zu begrenzen und uns ihr entgegenzusetzen, sondern uns ihrer Verengung auf die Vernunft des Machens entgegenzustellen und um die Wahrnehmungsfähigkeit für das Gute und für den Guten, für das Heilige und den Heiligen zu kämpfen. Dann führen wir den wahren Kampf für den Menschen und gegen die Unmenschlichkeit. Nur eine Vernunft, die auch für Gott offen ist – nur eine Vernunft, die Moral nicht ins Subjektive verbannt oder zum Kalkül erniedrigt, kann dem Missbrauch des Gottesbegriffs und den Erkrankungen der Religion entgegentreten und Heilungen schenken.

---

[1] Vgl. z.B. *L. Kolakowski*, Religion – If there is no God, New York 1982; deutsch: Falls es keinen Gott gibt, München 1982, Freiburg i. Br. 1992.

5. Die Aufgabe der Christen

Von da aus wird die große Aufgabe sichtbar, die sich heute den Christen stellt. Es ist ihre, unsere Aufgabe, die Vernunft umfassend zum Funktionieren zu bringen, nicht nur im Bereich der Technik und der materiellen Entwicklung der Welt, sondern vor allem auch auf die Wahrheitsfähigkeit hin, die Fähigkeit, das Gute zu erkennen, das die Bedingung des Rechts und damit auch die Voraussetzung des Friedens in der Welt ist. Es ist die Aufgabe von uns Christen in dieser Zeit, unseren Gottesbegriff in den Streit um den Menschen hineinzustellen.

Für diesen Gottesbegriff ist zweierlei kennzeichnend: Gott selbst ist Logos, der rationale Urgrund alles Wirklichen, die schöpferische Vernunft, aus der die Welt entstand und die sich in der Welt spiegelt. Gott ist Logos – Sinn, Vernunft, Wort, und darum entspricht ihm der Mensch durch die Öffnung der Vernunft und das Eintreten für eine Vernunft, die für die moralischen Dimensionen des Seins nicht blind sein darf. Denn „Logos" bedeutet eine Vernunft, die nicht bloß Mathematik ist, sondern die zugleich Grund des Guten ist und die Würde des Guten verbürgt. Der Glaube an den Gott-Logos ist zugleich Glaube an die schöpferische Kraft der Vernunft; er ist Glaube an den Schöpfergott und daran, dass der Mensch nach Gottes Ebenbild geschaffen ist und daher an der unantastbaren Würde Gottes selbst teilhat. Die Idee der Menschenrechte hat darin ihren tiefsten Grund, auch wenn ihre historische Entwicklung und Ausgestaltung verschiedene Wege gegangen ist.

Gott ist Logos. Dazu kommt aber noch ein zweites. Zum christlichen Gottesglauben gehört auch, dass Gott – die ewige Vernunft – *Liebe* ist. Es gehört dazu, dass er nicht ein beziehungslos in sich kreisendes Sein darstellt. Gerade weil er souverän ist, weil er Schöpfer ist, weil er alles umfasst, ist er Beziehung und ist er Liebe. Der Glaube an die Menschwerdung Gottes in Jesus Christus und an sein Leiden und Sterben für den Menschen ist der höchste

Ausdruck für diese Überzeugung, dass die Mitte aller Moral, die Mitte des Seins selbst und sein innerster Ursprung Liebe ist. Diese Aussage ist die stärkste Absage an jedwelche Ideologie der Gewalt, sie ist die wahre Apologie des Menschen und Gottes. Vergessen wir aber darüber nicht, dass der Gott der Vernunft und der Liebe auch der Richter der Welt und der Menschen ist – der *Garant der Gerechtigkeit*, vor dem alle Menschen Rechenschaft ablegen müssen. Die Wahrheit des Gerichts gegenwärtig zu halten, ist gegenüber den Versuchungen der Macht ein grundlegender Auftrag: Jeder muss Rechenschaft ablegen. Es gibt Gerechtigkeit, die von der Liebe nicht aufgehoben wird.

Dazu findet sich in Platons Gorgias ein erschütterndes Gleichnis, das vom christlichen Glauben nicht aufgehoben, sondern erst zu seiner vollen Gültigkeit gebracht worden ist. Platon spricht davon, wie die Seele nach dem Tod schließlich nackt vor dem Richter steht. Nun zählt nicht mehr, welchen Rang sie in der Welt eingenommen hatte. Mag es die Seele des Perserkönigs oder sonst eines Herrschers sein: Der Richter sieht die Narben, die von Meineid und Gerechtigkeit stammen „und die ihm jede seiner Taten in die Seele eingeprägt hat. Und alles ist schief vor Lüge und Hochmut. Und nichts ist gerade, weil sie ohne Wahrheit aufgewachsen ist. Er sieht, wie die Seele durch Willkür, Üppigkeit, Übermut und Unbesonnenheit im Handeln und Maßlosigkeit und Schändlichkeit beladen ist... Manchmal aber sieht er eine andere Seele vor sich, eine, die ein frommes und ehrliches Leben geführt hat, die Seele eines gewöhnlichen Bürgers oder eines einfachen Menschen... da freut er sich und schickt sie auf die Inseln der Seligen."[2] Wo solche Überzeugungen stark sind, da stehen auch Recht und Gerechtigkeit in Kräften.

---

[2] Platon, Gorgias 525a –526c [deutsche Übersetzung: *R. Rufener*, Die großen Dialoge, München 1991, S. 323-325]. Ich zitiere nach *Christoph Schönborn*, Gott sandte seinen Sohn. Christologie AMATECA VII, Paderborn 2002, S. 339.

6. Eine gemeinsame moralische Verantwortung

Noch ein drittes Element der christlichen Überlieferung möchte ich erwähnen, das in den Bedrängnissen unserer Zeit von grundlegender Bedeutung ist. Der christliche Glaube hat – vom Weg Jesu her – die Idee der politischen Theokratie aufgehoben. Er hat – modern ausgedrückt – die Weltlichkeit des Staates hergestellt, in dem die Christen mit Angehörigen anderer Überzeugungen in Freiheit zusammenleben, zusammengehalten freilich von der gemeinsamen moralischen Verantwortung, die sich aus dem Wesen des Menschen, aus dem Wesen der Gerechtigkeit ergibt. Davon unterscheidet der christliche Glaube das Reich Gottes, das in dieser Welt nicht als politische Wirklichkeit existiert und nicht als solche existieren kann, sondern durch Glaube, Hoffnung und Liebe ankommt und die Welt von innen her verwandeln soll. Aber unter den Bedingungen der Weltzeit ist das Gottesreich kein Weltreich, sondern ein Anruf an die Freiheit des Menschen und eine Stütze der Vernunft, damit sie ihre eigene Aufgabe erfüllen kann. In den Versuchungen Jesu geht es letztlich um diese Unterscheidung, um die Abweisung politischer Theokratie, um die Relativität des Staates und das eigene Recht der Vernunft, zugleich um die Freiheit der Wahl, die jedem Menschen zugedacht ist.

In diesem Sinn ist der laikale Staat eine Folge der christlichen Grundentscheidung, auch wenn es langen Ringens bedurfte, um dies in allen Konsequenzen zu verstehen. Dieser weltliche, „laikale" Charakter des Staates schließt seinem Wesen nach jene Balance zwischen Vernunft und Religion ein, die ich vorhin darzustellen versuchte. Er steht damit freilich auch dem Laizismus als einer Ideologie entgegen, die sozusagen den Staat einer reinen Vernunft bauen möchte, der von allen geschichtlichen Wurzeln gelöst ist und dann auch keine moralischen Grundlagen mehr kennen kann, die nicht jeder Vernunft einsichtig sind. So bleibt ihm am Ende nur der Positivismus des Mehrheitsprinzips und damit der Verfall des Rechts, das schließlich von der Statistik gelenkt wird.

Wenn die Staaten des Westens sich vollends auf diese Straße begeben würden, könnten sie auf Dauer dem Druck der Ideologien und der politischen Theokratien nicht standhalten. Auch ein laikaler Staat darf, ja, muss sich auf die prägenden moralischen Wurzeln stützen, die ihn gebaut haben; er darf und muss die grundlegenden Werte anerkennen, ohne die er nicht geworden wäre und ohne die er nicht überleben kann. *Ein Staat der abstrakten, geschichtslosen Vernunft kann nicht bestehen.*

Praktisch heißt das, dass wir Christen uns mit allen unseren Mitbürgern um eine aus den christlichen Grundeinsichten genährte moralische Grundlegung des Rechts und der Gerechtigkeit bemühen müssen, wie immer der einzelne sie begründet sieht und wie immer er sie mit dem Ganzen seines Lebensgefüges in Zusammenhang bringt. Aber damit solche gemeinsame rationale Überzeugungen möglich werden, damit die „rechte Vernunft" das Sehen nicht verlernt, ist es wichtig, dass wir unser eigenes Erbe kraftvoll und rein leben, damit es mit seiner inneren Überzeugungskraft im Ganzen der Gesellschaft sichtbar und wirksam wird.

Ich möchte an den Schluss ein Wort des Kieler Philosophen Kurt Hübner stellen, in dem dieses Anliegen deutlich wird: „Den Kampf mit den uns heute feindlich gesinnten Kulturen werden wir... schließlich nur vermeiden, wenn wir den leidenschaftlichen Vorwurf der Gottvergessenheit entkräften werden, indem uns die tiefe... Verwurzelung unserer Kultur im Christentum wieder vollkommen bewußt wird. Zwar läßt sich das Ressentiment, das die Überlegenheit des Westens auf vielen, heute das Leben überall prägenden Gebieten hervorruft, dadurch nicht beseitigen, aber es kann einen wichtigen Beitrag dazu leisten, die religiöse Glut zu löschen, an der es sich ja hauptsächlich entzündet..."[3] In der Tat – ohne neue Besinnung auf den Gott der Bibel, den in Jesus Christus nahe gewordenen Gott, werden wir den Weg zum Frieden nicht finden.

---

[3] *K. Hübner*, Das Christentum im Wettstreit der Weltreligionen. Tübingen 2003, S. 148.

III
Was müssen wir tun?
Die Verantwortung der Christen
für den Frieden

Dieser Tag – der 6. Juni 2004 – ist ein Tag der Erinnerung. Aber Erinnerung blickt nicht nur in die Vergangenheit, sondern will Orientierung geben für die Zukunft. Doch schauen wir erst zurück. Damals – vor 60 Jahren – ging es darum, Europa und die Welt von einer menschenverachtenden Diktatur zu befreien: Der Mensch wurde zertreten, gebraucht und missbraucht für den Wahn einer Macht, die eine neue Welt schaffen wollte. Von Gott wurde zwar gesprochen, aber er war nur ein Etikett, um dem eigenen Willen Absolutheit zu verleihen. Nicht der Wille Gottes zählte, sondern allein der eigene Wille zur Macht, und darum war im Menschen nicht mehr das Bild Gottes zu erkennen, vor dem wir in Ehrfurcht stehen müssen, sondern nur noch das „Menschenmaterial", mit dem man arbeitete, das man verachtete, wie man in Wirklichkeit Gott selbst verachtete. Eine ungezählte Schar von Menschen wurde dafür in den Konzentrationslagern wie Material „verbraucht". Und eine nicht weniger große Zahl junger Menschen ist auf den Schlachtfeldern gefallen, deren Gräber wir heute ehren. Wir empfehlen alle Toten, auf welcher Seite sie auch standen, dem Erbarmen des gütigen Gottes. Sie alle sind Kinder Gottes, jeder von ihm einzeln gekannt, gewollt, geliebt, bei seinem Namen gerufen. Jeder einzelne hat eine Lücke hinterlassen. Um jeden einzelnen ist Trauer und Schmerz getragen worden. Nun wissen wir sie in Gottes guten Händen, in seiner versöhnenden Güte.

1. Jeder Mensch – Gottes Bild und Partner künftigen Lebens

Für uns heute soll dies ein Anlass sein, uns neu auf die Würde des Menschen, jedes einzelnen zu besinnen, aber auch über Tod und ewiges Leben neu nachzudenken. In jedem Menschen müssen wir lernen, Gottes Bild zu erkennen, wie fremd oder unsympathisch er uns auch erscheinen mag. In jedem sollen wir auch den Partner des künftigen Lebens erkennen, dem wir auf der anderen Seite der Welt wieder begegnen werden. Und wir sollten uns selber unserer Berufung ins ewige Leben hinein neu bewusst werden – so leben, dass wir mit diesem unserem jetzigen Leben einmal vor Gottes Angesicht bestehen können.

In der Generation, der ich zugehöre, wurde der Gedanke an das Jenseits und an das ewige Leben auch in der Verkündigung der Kirche immer mehr an den Rand geschoben: Der Verdacht, dass die Christen das Diesseits vernachlässigen, weil sie immer nur vom Jenseits träumen, hatte auch die gläubigen Christen, auch die Verkünder des Wortes getroffen. Die Christen seien nur halbherzig am Aufbau der Welt beteiligt, und schon viel früher hätte sie besser und menschlicher werden können, wenn die Christen nicht in der Weltflucht gelebt hätten – so wurde uns gesagt. Zum Jenseits sei immer noch Zeit, jetzt gelte es, die Erde endlich einmal wohnlicher zu machen.

Nun, wohnlicher und menschlicher ist sie mit diesen Ideologien gewiss nicht geworden. Gerade wer seine Tage in der Verantwortung für das ewige Leben lebt, gibt diesen Tagen erst ihr volles Gewicht. Das Gleichnis von den übergebenen Talenten zeigt es uns: Der Herr ruft uns nicht zur Bequemlichkeit, sondern zum Wuchern mit den Talenten (vgl. Mt 25,14-30). Und umgekehrt: Wer um das ewige Leben weiß, der ist befreit von der Gier, die jetzt schon alles genießen und ausschöpfen will, weil er weiß, dass jetzt die Zeit der Arbeit ist und dann das große Fest kommt. Die Felder des Todes, vor denen wir stehen, mahnen uns, des Todes eingedenk zu sein und unser Leben recht zu leben im Angesicht der Ewigkeit.

2. Versöhnung schafft Frieden

Drei weitere Stichworte drängen sich mir auf bei dem Gedenken, das uns zusammengeführt hat: *Versöhnung – Friede – Verantwortung*. Nach den blutigen Auseinandersetzungen des Zweiten Weltkriegs hat ein Prozess der Versöhnung begonnen, für den wir nur von Herzen dankbar sein können. Amerika hat mit einem großzügigen Hilfsprogramm dem Gegner von einst wieder zu neuem Aufstieg geholfen. Großbritannien und Frankreich haben dem Gegner zweier Weltkriege die Hände zur Versöhnung gereicht. Charles de Gaulle hat dem Sinn nach einmal gesagt: Wenn es einst unsere Pflicht geworden war, einander Feinde zu sein, so ist es jetzt unser Glück, Freunde sein zu dürfen. Dieser weltgeschichtliche Prozess der Versöhnung, der uns in Europa und in der atlantischen Partnerschaft geschenkt wurde, kam aus christlichem Geist: Nur Versöhnung schafft Frieden; nicht Gewalt heilt, sondern nur Gerechtigkeit. Das muss der Maßstab allen politischen Handelns in den gegenwärtigen Konflikten sein.

Der Hebräerbrief spricht von dem Blut Christi, von dem ein anderer Ruf ausgeht als vom Blut Abels (Hebr 12,24): Es ruft nicht nach Vergeltung, sondern es ist Versöhnung. Der Epheserbrief sagt uns das Gleiche: Christus ist unser Friede. Er riss durch sein Sterben die trennende Wand der Feindschaft nieder. Durch sein Blut, das heißt durch seine im Tod durchgehaltene Liebe hat er Ferne und Nahe zueinandergeführt (Eph 2,14-22). Diesen Gott verkünden wir, dieses Menschenbild muss uns leiten. Der Friede Christi überschreitet die Grenzen der Christenheit, er gilt den Fernen wie den Nahen. Von ihm her müssen die Weisen unseres Handelns im Kleinen wie im Großen bestimmt sein.

Damit komme ich zu dem letzten Stichwort: *Verantwortung*. Schon nach dem Ersten Weltkrieg und verstärkt nach dem Zweiten brach spontan der Ruf aus: Nie wieder Krieg! Die Wirklichkeit sieht leider anders aus: Die Jahrzehnte seit 1945 waren eine Zeit blutiger Kriege in vielen Teilen der Welt. Und leider müssen wir fürchten, dass immer wieder das Unrecht sein Haupt erheben wird und dass es daher auch immer wieder nötig werden kann, das Recht und die Gerechtigkeit gegen das Unrecht auch unter Einsatz militärischer Mittel zu verteidigen. Was also dürfen wir hoffen? Was müssen wir tun? Die totalitären Ideologien des 20. Jahrhunderts haben uns die Errichtung der befreiten und gerechten Welt versprochen und dafür Hekatomben von Opfern gefordert. Aber das utopische Traumbild hat auch stark auf das christliche Bewusstsein eingewirkt und es tiefgehend geprägt. Die Erwartung der Wiederkunft Christi verweist auf eine Heilung jenseits der Geschichte, aber die Menschen wollen eine Hoffnung in der Geschichte und für die Geschichte. Von dem neutestamentlichen Grundwort „Reich Gottes" lässt man das Wort Gott am liebsten beiseite, spricht nur noch vom Reich und bezeichnet damit eine neue Utopie, die nun Christen und Nichtchristen gleichermaßen umfassen soll: In der Geschichte soll das „Reich", das heißt die bessere Welt verwirklicht werden. Nichts derlei ist uns von unserem Glauben verheißen, und die Rezepte für das „Reich" sind im allgemeinen so unbestimmt, dass sie jedem ideologischen Missbrauch offenstehen. Aber Utopien und Ideologien sind Truggespenste, die den Menschen in die Irre führen.

3. Die Kräfte des Guten stärken

Noch einmal: Was ist uns verheißen? Was müssen wir tun? Die christliche Antwort darauf umfasst drei Dimensionen. Da ist zuerst die Verheißung des künftigen Jerusalem, das nicht von Menschen gemacht wird, sondern von Gott her kommt. Da ist dann über diese Geschichte zum einen die Vorhersage, dass die menschliche Freiheit immer wieder missbraucht werden wird und daher immer wieder das Unrecht Macht erlangen wird in der Welt: Die Apokalypse sagt es in erschreckenden Bildern. Über dem Dunkel dieser Bilder übersieht man meistens die andere Hälfte, die ihnen wesentlich ist: Obwohl Gott der Freiheit zum Bösen viel Raum lässt (allzu viel kommt uns immer wieder vor), lässt er die Welt niemals ganz aus seinen Händen fallen. Wenn in der Apokalypse vom Zerstören die Rede ist, werden immer wieder begrenzte Zeiten und sozusagen Prozentsätze des Unheils, zum Beispiel ein Drittel usw. angegeben. Die Welt gehört Gott und nicht dem Bösen, wieviel es auch anrichten kann – diese Gewissheit ist der eigentlich entscheidende Teil der apokalyptischen Bilder. Denn die Schrecknisse, die sie erzählt, werden als bekannt vorausgesetzt; dass sie niemals die Macht über die ganze Welt gewinnen und sie verwüsten können, ist der eigentliche Kern der Aussage.

Endlich die dritte Dimension der christlichen Antwort auf die Frage nach der Zukunft: Sie heißt Ethos, sie heißt Verantwortung. Es gibt nicht die Magie des Fortschritts, die ein für alle Mal richtig eingerichtete Welt, die dann ja auch eine Welt ohne Freiheit wäre. Gott hält die Welt, aber er hält sie wesentlich auch durch unsere Freiheit, die wir als Freiheit zum Guten der Freiheit des Bösen entgegenstellen müssen. Der Glaube schafft nicht die bessere Welt, aber er weckt und festigt die sittlichen Kräfte, die Dämme gegen die Flut des Bösen bauen; er weckt und stärkt die Freiheit des Guten gegen die Versuchung, unsere Freiheit zum Bösen zu missbrauchen.

Der Auftrag, der von den Gräbern des Zweiten Weltkriegs ausgeht, heißt: die Kräfte des Guten stärken, für jene Werte und Wahrheiten einstehen, arbeiten, leben und leiden, die die Welt von Gott her zusammenhalten. Gott hat dem Abraham versprochen, dass er die Stadt Sodom nicht zerstören werde, wenn sich dort zehn Gerechte fänden (Gen 18,32). Wir sollten uns mühen, dass es nie an den zehn Gerechten fehlt, die eine Stadt retten können.

IV
Aus der Kraft der Erinnerung handeln
Gnade der Versöhnung

In dieser Stunde verbeugen wir uns (auf dem deutschen Soldatenfriedhof La Cambe bei Caen) in Ehrfurcht vor den Toten des Zweiten Weltkriegs; wir gedenken der vielen jungen Menschen aus unserer Heimat, deren Zukunft und Hoffnung in den blutigen Schlachten des Krieges zerstört wurde. Es muss uns als Deutsche schmerzlich berühren, dass ihr Idealismus und ihr Gehorsam dem Staat gegenüber von einem ungerechten Regime missbraucht wurde. Aber das entehrt diese jungen Menschen nicht, in deren Gewissen nur Gott hineinblicken kann. Und jeder steht einzeln mit seinem Weg und seinem Sterben vor Gott, in dessen barmherziger Güte wir alle unsere Toten geborgen wissen. Sie haben ganz einfach ihre Pflicht – wenn auch oft unter furchtbarem inneren Ringen, Zweifeln und Fragen – zu tun versucht, aber sie blicken nun uns an und reden zu uns: Und ihr – was werdet ihr tun, damit nicht wieder junge Menschen in solche Kämpfe getrieben werden? Was werdet ihr tun, damit die Welt nicht von neuem durch Hass und Gewalt und Lüge verwüstet wird?

1. Geeint in neuer Solidarität

Wenn dies eine Stunde der Trauer und der Gewissenserforschung ist, so ist es zugleich auch die Stunde einer großen Dankbarkeit: Über den Gräbern ist Versöhnung gewachsen. Feinde sind Freunde geworden und reichen sich zum gemeinsamen Weg die Hände. Das Opfer unserer Toten war doch – auch innergeschichtlich gesehen – nicht umsonst. Nach dem Ersten Weltkrieg war Feindschaft und

Bitterkeit zwischen den kriegführenden Nationen, besonders zwischen Deutschen und Franzosen geblieben und vergiftete die Seelen. Der Vertrag von Versailles hat ganz bewusst Deutschland demütigen wollen und es mit Lasten beladen, die die Menschen in die Radikalisierung trieben und so der Diktatur die Tür öffneten, ihren betrügerischen Versprechungen auf Wiederherstellung von Freiheit, Ehre und Größe Deutschlands Gehör verschafften. Aug um Auge, Zahn um Zahn – das führt nicht zum Frieden, wir haben es gesehen.

Gottlob hat sich Gleiches nach dem Zweiten Weltkrieg nicht wiederholt. Die Amerikaner haben mit dem Marshall-Plan uns Deutschen großzügig geholfen, unser Land wiederaufzubauen und haben uns neuen Wohlstand und Freiheit ermöglicht. In der neuen Weltkonstellation mit dem Zusammenbruch der Kolonialreiche und der Konfrontation zwischen Ost und West ist alsbald auch das Bewusstsein erwacht, dass nur ein geeintes Europa im Fortgang der Geschichte eine Stimme haben kann; dass die Nationalismen, die unseren Kontinent zerrissen haben, aufhören und durch eine neue Solidarität abgelöst werden müssen. So ist es nach den Konflikten, die Jahrhunderten ihre blutige Spur eingezeichnet haben, gottlob zu einer immer engeren Freundschaft zwischen Deutschland und Frankreich gekommen. So wächst seit den fünfziger Jahren des 20. Jahrhunderts Europa in wachsenden Ringen. Heute stehen wir als Versöhnte und Freunde an den Gräbern, die uns an den unseligen Zwist von damals erinnern.

Wenn uns in dieser Stunde aus der Rückschau der voranschreitende Prozess der Versöhnung und der Solidarität miteinander als ein ganz logischer Vorgang erscheint, der von den neuen Konstellationen der Weltgeschichte förmlich gefordert war, so dürfen wir nicht übersehen, dass diese Logik nicht von selbst einsichtig gewesen ist und sich nicht von selbst vollzogen hat. Die Geschichte zeigt uns ja, wie oft gegen Logik und Vernunft gehandelt wurde. Dass die Politik der Versöhnung siegte, ist das Verdienst einer Generation von Politikern, für die die Namen Adenauer, Schumann, de Gasperi, de Gaulle stehen. Dies waren Menschen von nüchternem Verstand und politischem Realismus, aber dieser Realismus stand auf dem festen Boden des christlichen Ethos, das sie als das Ethos der gereinigten Vernunft erkannten. Sie wussten, dass Politik nicht bloßer Pragmatismus sein darf, sondern eine moralische Angelegenheit sein muss: Das Ziel der Politik ist Gerechtigkeit und mit der Gerechtigkeit Friede; die Ordnung der Macht von den Maßstäben des Rechts her. Wenn die Moralisierung der Macht, ihre Ordnung von den Maßstäben des Rechts her, das Wesen der Politik ist, dann steht in ihrer Mitte eine Grundkategorie der Moral.

2. Verwurzelt in den Werten des christlichen Glaubens

Woher aber die Maßstäbe für die Gerechtigkeit nehmen? Wie sie finden? Diesen Männern war klar, dass die für alle Zeiten gültige Grundweisung zur Gerechtigkeit der Dekalog ist, den sie in der Fortschreibung und Vertiefung gelesen haben, die er durch die Botschaft Christi gefunden hat. Nicht nur das Entstehen Europas nach dem Untergang der griechisch-römischen Welt und der Völkerwanderung war das Werk des Christentums – der christliche Glaube hat unstreitig Europa damals geboren; auch die Wiederherstellung Europas nach dem Zweiten Weltkrieg hat das Christentum als seine Wurzel und hat so die Verantwortung vor Gott als seine Wurzel, die in unserem deutschen Grundgesetz sehr bewusst nach den Rechtszerstörungen des Nazi-Regimes als tiefste Verankerung unseres Rechtsstaates festgeschrieben worden ist.

Wer heute Europa als einen Hort des Rechts und der Gerechtigkeit allen Menschen und Kulturen gegenüber bauen will, kann sich nicht auf eine abstrakte Vernunft zurückziehen, die von Gott nichts weiß, selbst keiner Kultur zugehört, aber alle Kulturen nach ihren Maßen regulieren will: Welche Maße sind das eigentlich? Welche Freiheit kann solche Vernunft gewähren, welche verweigern? Auch heute sind Verantwortung vor Gott und Verwurzelung in den großen, überkonfessionellen Werten und Wahrheiten des christlichen

Glaubens die unverzichtbaren Kräfte für die Bildung eines Europa, das mehr ist als ein Wirtschaftsblock: eine Gemeinschaft des Rechts, ein Hort des Rechts, nicht nur für sich selber, sondern für die Menschheit im ganzen.

Die Toten von La Cambe reden uns an. Sie sind im Frieden. Aber sie fragen uns: Was tut ihr für den Frieden? Sie warnen uns vor einem Staat, der die Fundamente des Rechts verliert, der seine Wurzeln abschneidet. Die Erinnerung an das Unrecht des Zweiten Weltkriegs und an die große Geschichte der Versöhnung, die ihm gottlob in Europa gefolgt ist – diese Erinnerung zeigt uns, wo die heilenden Kräfte sind. Nur wenn wir Gott in die Welt herein lassen, kann die Erde hell und kann die Welt menschlich sein.

Ausklang

Der Glaube an den dreifaltigen Gott und der Friede in der Welt

1. Nicht Bedrohung – Rettung

Das Fest der heiligsten Dreifaltigkeit ist anders als die übrigen großen Feste des Kirchenjahres wie Weihnachten, Epiphanie, Ostern, Pfingsten. An diesen Tagen feiern wir die großen Taten Gottes in der Geschichte: seine Menschwerdung, seine Auferstehung, die Sendung des Geistes und mit ihr die Geburt der Kirche. Am Dreifaltigkeitsfest feiern wir keines der Ereignisse, durch die hindurch uns etwas von Gott sichtbar wird. Wir feiern einfach Gott selbst. Wir freuen uns, dass Gott ist, und wir danken dafür, dass er so ist, wie er ist und dass wir ihn kennen und lieben dürfen, weil er selbst uns kennt, uns liebt und sich uns gezeigt hat. Aber ist die Existenz Gottes, sein Wesen, unser Gekanntsein von Gott wirklich Grund zur Freude? Das ist keineswegs selbstverständlich.

Viele Gottheiten der Religionen der Welt sind schrecklich, grausam, egoistisch oder undurchschaubar, gemischt aus Gutem und Bösem. Die antike Welt war weithin von der Furcht vor den Göttern und ihrer unheimlichen Macht geprägt: Man muss sie zu versöhnen versuchen; man muss trachten, ihren Launen zu entrinnen. Es gehörte zu der erlösenden Kraft der christlichen Mission, dass sie die ganze Welt der Götter als leeren Schein beiseite schob und den Gott zeigte, der in Jesus Christus Mensch geworden: den Gott, der Vernunft und Liebe ist; den Gott, der stärker ist als alle dunklen Mächte, die es in der Welt geben mag: „Wir wissen, dass es keine Götzen gibt in der Welt und keinen Gott außer dem einen", hat Paulus gesagt, und er fährt fort: „Und selbst wenn es im Himmel oder auf der Erde sogenannte Götter gibt – und solcher Götter und Herren gibt es viele – so haben doch wir nur einen Gott, den Vater" (1 Kor 8,5f). Auch heute noch ist diese Botschaft in den Bereichen der alten Stammesreligionen eine erlösende Wende: Man braucht sich nicht mehr überall und rundherum vor den Geistern zu fürchten, die da umgehen und die man immer wieder vergeblich zu bannen versucht. „Wer im Schutz des Höchsten wohnt und ruht im Schatten des Allmächtigen" (Ps 91,1), der weiß sich in einer tiefen Geborgenheit. Wer den Gott Jesu Christi kennt, für den sind auch all die anderen Formen der Angst vor Gott, der zerstörenden Lebensangst überwunden, die nun wieder von neuem in unserer Welt sich breit machen.

Angesichts aller Schrecknisse der Welt bricht immer wieder die Frage auf: Gibt es Gott? Wo ist er? Und wenn es ihn gibt, ist er wirklich gut oder nicht doch unheimlich, gefährlich? Diese Frage hat in der Neuzeit noch eine andere Form angenommen. Die Existenz Gottes erscheint als Grenze unserer Freiheit; es gibt den Aufpasser, dessen Blick uns verfolgt. Der Aufruhr gegen Gott in der Neuzeit beruht auf diesem Erschrecken vor dem allgegenwärtigen Blick Gottes: Dieser Blick erscheint als Bedrohung – wir wollen nicht gesehen werden, wir wollen nur wir selber sein. Der Mensch fühlt sich erst ganz frei, ganz er selbst, wenn er Gott beiseite geschafft hat. Das sagt schon die Geschichte von Adam: Er betrachtet Gott als Konkurrenten; er will das Leben selber leisten; er versteckt sich vor Gott „unter den Bäumen des Gartens" (Gen 3,8). So hat denn auch Sartre gesagt, Gott müsse man leugnen, selbst wenn es ihn gäbe, weil der Gottesgedanke der Freiheit und Größe des Menschen entgegenstünde.

Aber ist die Welt heller, freudiger, freier geworden, seitdem sie Gott beiseite geschafft hat? Ist nicht gerade so der Mensch seiner Würde beraubt, zu einer leeren Freiheit verdammt und zu allen Grausamkeiten bereit? Der Blick Gottes ist nur dann erschreckend, wenn man ihn als Abhängigkeit und als Knechtschaft ansieht, statt seine Liebe, die sich in seinem Blick ausdrückt, als die Bedingung unseres Seins zu erkennen – als das, was uns leben lässt. „Philippus, wer mich gesehen hat, hat den Vater gesehen", sagt der Herr zu Philippus und zu uns allen (Joh 14,9). Das Gesicht Jesu ist das Gesicht Gottes: So sieht Gott aus. Jesus, der für uns gelitten hat und sterbend seinen Feinden vergab, zeigt uns, wie Gott ist. Dieser Blick bedroht uns nicht; er rettet uns.

Ja, wir dürfen uns freuen, dass es Gott gibt, dass er sich uns gezeigt hat und dass er uns nie allein lässt. Es ist tröstlich, die Telefonnummer von Freunden und guten Menschen zu kennen. So sind sie uns nie ganz fern, nie ganz abwesend. Wir können sie anrufen und sie uns. Die Menschwerdung Gottes in Christus sagt uns: Gott hat uns gleichsam in sein Adressenverzeichnis aufgenommen. Ohne Geld und ohne Technik können wir ihn rufen. Er ist immer in Hörweite. Durch Taufe und Firmung gehören wir zu seiner Familie. Er ist immer auf Empfang: „Ich bin bei euch alle Tage bis zum Ende der Welt" (Mt 28,20).

2. Die Verheißung

Das heutige Evangelium fügt noch eine weitere wichtige Aussage hinzu. Jesus verheißt den Geist der Wahrheit (Joh 16,13), den er dann in derselben Rede mehrmals den „Parakleten" nennt. Was heißt das? Im Lateinischen wurde dieses Wort mit „Consolator" übersetzt – der „Tröster". Ganz wörtlich bedeutet das lateinische Wort: der, der in unsere Einsamkeit hereintritt und sie teilt; der in der Einsamkeit mit uns ist, so dass sie aufhört, Einsamkeit zu sein. Die Einsamkeit ist deshalb für den Menschen Raum der Traurigkeit, weil er die Liebe braucht und Einsamkeit, in die keine Liebe hineinleuchtet, Einsamkeit, die Liebesverlust ist, zugleich die innerste Bedingung unseres Lebens bedroht. Das Ungeliebtsein ist der Kern menschlichen Leids, menschlicher Traurigkeit. Das Wort Consolator sagt uns: Wir sind nie ganz einsam, nie ganz von der Liebe verlassen. Gott ist durch den Heiligen Geist in unsere Einsamkeit hereingetreten und bricht sie auf. Das ist der wahre Trost

– Trost nicht nur mit Worten, sondern Trost in der Kraft der Wirklichkeit. Aus dieser Benennung des Heiligen Geistes wurde dann im Mittelalter die Pflicht der Menschen abgeleitet, in die Einsamkeit der Leidenden einzutreten. Die Altenhospitäler wurden dem Heiligen Geist zugeeignet, und damit wurde zugleich den Menschen aufgetragen, das Werk des Heiligen Geistes zu tun – Tröstende zu sein, in die Einsamkeit der Leidenden und der Alten hineinzutreten und so Licht zu bringen. Welche Aufgabe auch heute, für uns alle, gerade in dieser Zeit!

Aber das griechische Wort Paraklet kann auch noch anders übersetzt werden: Es bedeutet auch „Anwalt". Was das bedeutet, kann uns aufgehen, wenn wir Offb 12,10 lesen: „Jetzt ist er da, der rettende Sieg... Denn gestürzt wurde der Ankläger unserer Brüder, der sie bei Tag und bei Nacht vor unserem Gott verklagte." Wer Gott nicht mag, mag auch den Menschen nicht. Die Gottesleugner werden sehr schnell auch zu Verleumdern der Schöpfung, zu Anklägern des Menschen, denn nur durch die Anklage gegen die Schöpfung und den Menschen können sie letztlich ihre Gegnerschaft gegen Gott begründen: Der Gott, der das gemacht hat, ist nicht gut – das ist ihre Logik. Der Heilige Geist, der Geist Gottes, ist nicht Ankläger, sondern Verteidiger des Menschen und der Schöpfung. Gott selbst steht für sein Geschöpf, den Menschen ein. Gott verteidigt in seiner Schöpfung sich selbst, und er verteidigt uns. Gott ist für uns – das hat sich im ganzen Weg Jesu gezeigt, der ein einziges, bis in den Tod reichendes Eintreten für uns ist. Diese Erkenntnis ist bei Paulus zu einem Ausbruch von Freude geworden: „Wenn Gott für uns ist, wer ist dann gegen uns?... Wer kann die Auserwählten Gottes verklagen? Wer kann sie verurteilen? Christus Jesus, der gestorben ist, mehr noch: der auferweckt worden ist, sitzt zur Rechten Gottes und tritt für uns ein... Weder Tod noch Leben, weder Engel noch Mächte, weder Gegenwärtiges noch Zukünftiges, weder Gewalten der Höhe oder der Tiefe noch irgendeine andere Kreatur können uns scheiden von der Liebe Gottes, die in Christus Jesus ist, unserem Herrn" (Röm 8,31-39).

Über diesen Gott freuen wir uns, ihn feiern wir. Ihn zu kennen, ihn zu bekennen, ist von größter Bedeutung für unsere Zeit. Wir erinnern uns in diesen Tagen an die Schrecknisse des Zweiten Weltkrieges und danken dafür, dass die Diktatur Hitlers mit all ihren Grausamkeiten besiegt wurde und Europa seine Freiheit wiedererhielt. Aber wir können nicht übersehen, dass auch heute die Welt voller Grausamkeiten und Drohungen ist. Ein Missbrauch des Gottesbildes ist ebenso gefährlich wie die Leugnung Gottes, die sich in den Ideologien des 20. Jahrhunderts und in den sie tragenden totalitären Herrschaften ausgetobt und die Welt verwüstet hat – außen und innen, bis in die Tiefe der Seelen hinein. Europa und die Welt brauchen gerade in dieser Stunde die Anwesenheit des Gottes, der sich in Jesus Christus gezeigt hat und uns im Heiligen Geist nahe bleibt. Es ist unsere Verantwortung als Christen, dass dieser Gott gegenwärtig in der Welt steht als die Kraft, die allein den Menschen vor der Zerstörung seiner selbst bewahren kann.

3. Dreifaltige Liebe

Gott ist dreifaltig einer: Er ist nicht ewige Einsamkeit, sondern ewige Liebe, die das Miteinander der drei Personen setzt und der Urgrund allen Seins und Lebens ist. Die Einheit, die die Liebe schafft – die trinitarische Einheit – ist höhere Einheit als die Einheit letzter, unteilbarer materieller Bausteine. Die höchste Einheit ist nichts Starres. Sie ist Liebe. Die schönste Darstellung dieses Geheimnisses hat uns André Roublev im 15. Jahrhundert mit seiner berühmten Dreifaltigkeitsikone geschenkt. Sie stellt das ewige Geheimnis Gottes nicht in sich selber da – wer könnte das wagen? Sie zeigt es im Spiegel einer geschichtlichen Begebenheit: des Besuches von drei Männern bei Abraham bei den Eichen von Mamre (Gen 18,1-33). Abraham erkannte schnell, dass dies nicht gewöhnliche Männer waren, dass in ihnen Gott selbst bei ihm eingekehrt war, und schon im alttestamentlichen Text geht die Dreizahl mit der Einzigkeit Gottes geheimnisvoll ineinander: Es sind drei, in denen er den Einen anbetet. So ist diese Geschichte für die Christenheit von früh an zu einem Spiegel der Dreieinigkeit geworden. In Roublevs Ikone ist das Geheimnis dieses Geschehens in seinen vielfältigen Dimensionen wunderbar versichtbart und gerade so als Geheimnis belassen. Aus dem Reichtum dieser Ikone möchte ich nur einen Zug herausnehmen: die Umgebung des Ereignisses, die zugleich das Geheimnis der Personen mit ausdrückt. Da sind zunächst die Eichen von Mamre, die Roublev zu einem einzigen Baum zusammenfasst, der nun den Baum des Lebens abbildet – den Baum des Lebens, der in nichts anderem besteht als in der trinitarischen Liebe, die die Welt geschaffen hat, sie trägt und erlöst und der Quell allen Lebens ist. Da ist das Zelt, das Haus Abrahams, das uns an Joh 1,14 denken lässt: „Das Wort ist Fleisch geworden und hat bei uns sein Zelt aufgeschlagen ..." Der Leib des menschgewordenen Wortes ist selbst zum Zelt, zum Haus geworden, in dem Gott wohnt und Gott uns Wohnung, unsere Bleibe wird. Endlich – die Gabe Abrahams, das „zarte, prächtige Kalb" ist ersetzt durch den Kelch: das Zeichen der Eucharistie, das Zeichen der Hingabe, in dem Gott sich selber schenkt. „L'amour, le sacrifice, l'immolation précèdent l'acte de la création du monde, sont à sa source."[1] Der Baum – das Zelt – der Kelch: Sie zeigen uns das Geheimnis Gottes an, lassen uns gleichsam in sein Inneres, in die dreifaltige Liebe hineinschauen. Diesen Gott feiern wir. Dieses Gottes freuen wir uns. Er ist die wahre Hoffnung unserer Welt. Amen.

[1] *P. Evdokimov*, L'art de l'icône. Théologie de la Beauté, Paris 1970 p. 208.

Quellenverzeichnis

Erstes Kapitel: Politik und Moral

I. Politische Visionen und Praxis der Politik – Vortrag in Triest am 20. 9. 2002. Zuerst Italienisch veröffentlicht in: Joseph Ratzinger, Europa. I suoi fondamenti oggi e domani. Edizioni San Paolo, Cinisello Balsamo (Milano) 2004, 43-59.

II. Was die Welt zusammenhält. Vorpolitische moralische Grundlagen eines freiheitlichen Staates. – Vortrag bei einem Gesprächsabend in der Katholischen Akademie in Bayern am 19. Januar 2004.

III. Die Freiheit, das Recht und das Gute. Moralische Prinzipien in demokratischen Gesellschaften. – Rede anlässlich der Aufnahme als membre associé étranger in die Académie des Sciences Morales et Politiques des Institut de France am 7. November 1992; hier mit Anmerkungen ergänzt. Erstveröffentlichung in: Wahrheit, Werte, Macht. Prüfsteine der pluralistischen Gesellschaft, Freiburg i. Br.3. Aufl. 1995, S. 11-24.

IV. Die Bedeutung religiöser und sittlicher Werte in der pluralistischen Gesellschaft. Erstmals veröffentlicht in: Internationale katholische Zeitschrift "Communio" 21. Jhg., Heft 6 (1992), S. 500-512. Später in: Wahrheit, Werte, Macht, a.a.O., S. 63-92.

Zweites Kapitel: Was ist Europa? Grundlagen und Perspektiven

I.   Europas Identität. Seine geistigen Grundlagen gestern, heute, morgen.Vortrag im Italienischen Senat, *Rom*, 13. 5. 2004. Zuerst Italienisch veröffentlicht in: Joseph Ratzinger, Europa. I suoi fondamenti oggi e domani. Edizioni San Paolo, Cinisello Balsamo (Milano) 2004, 9-29; auch in: Joseph Ratzinger e Marcello Pera: Senza radici. Europa, relativismo, Cristian e simo, Islam Mondadori, Roma 2004, 47-72.

II. Chancen und Gefahren für Europa. Text eines am 8. September 2001 in Cernobbio (Como) vor Wirtschaftsfachleuten und Politikern gehaltenen Vortrags. Angesichts der vorgegebenen zeitlichen Begrenzung des Vortrags (20 Minuten) konnte nur aufzeigt werden, dass die Fragen Europas sich nicht auf die politische und ökonomische Dimension reduzieren lassen, ohne über die Problemanzeige hinaus Lösungswege aufzeigen zu können.

Drittes Kapitel: Verantwortung für den Frieden

I.   Wenn du den Frieden willst, achte das Gewissen jedes Menschen. Gewissen und Wahrheit. Erstmals veröffentlicht in: Fides quaerens intellectum. Beiträge zur Fundamentaltheologie, herausgegeben von Michael Kessler, Wolfhart Pannenberg und Hermann Josef Pottmeyer. Francke Verlag, Tübingen, 1992 (dort leicht gekürzt). Später in: Wahrheit, Werte, Macht, a.a.O., S. 27-62.

II. Auf der Suche nach dem Frieden. – Rede aus Anlass des 60. Jahrestages der Landung der Alliierten in Frankreich am 6. Juni 2004. Deutsche Erstveröffentlichung in: Die Tagespost (12. 6. 2004) 4–5.

III. Die Verantwortung der Christen für den Frieden. – Worte in der Ökumenischen Feier in der Kathedrale zu Bayeux am 6. Juni

2004. Deutsche Erstveröffentlichung in: Die Tagespost (15. 6. 2004) 6.

IV. Gnade der Versöhnung. – Worte auf dem deutschen Friedhof La Cambe bei Caen am 5. Juni 2004. Deutsche Erstveröffentlichung in: Die Tagespost (15. 6. 2004) 6.

Ausklang

Der Glaube an den dreifaltigen Gott und der Friede in der Welt. – Predigt am Fest der heiligsten Dreifaltigkeit am 6. Juni 2004 in der Kathedrale zu Bayeux anläßlich der Gedenkfeiern in Caen/Frankreich zum 60. Jahrestag der Landung der Alliierten in der Normandie am 6. Juni 1944. Deutsche Erstveröffentlichung in: Die Tagespost (12. 6. 2004), 3.

Gesellschaft heute

Philipp Gessler
Der neue Antisemitismus
Hinter den Kulissen der Normalität
Band 5493
Wie normal ist Antisemitismus hierzulande? Beobachtungen, Analysen und Perspektiven: Ein brisanter Bericht aus dem Inneren unseres Landes.

Friedhelm Hengsbach
Das Reformspektakel
Warum der menschliche Faktor mehr Respekt verdient
Band 5544
Ausschließlich am Markt orientierte Reformversuche sind bedrohlich für den sozialen Zusammenhalt. Analytisch, klar und provozierend ist die These Hengsbachs: Kern jeder Wirtschaft und jeder Gesellschaft bleibt – der Mensch.

Wolfgang Huber
Vertrauen erneuern
Eine Reform um der Menschen willen
Band 5605
Der Ratsvorsitzende der EKD über Unsensibilität von Managern und Politikern und über Verantwortung des Einzelnen.

Johannes Paul II.
Gewissen der Welt
Mit einer Einführung von Ernst-Wolfgang Böckenförde
Band 5334
Die weltweit gehörte Stimme eines großen spirituellen Führers zum Weg des Menschen ins 21. Jahrhundert.

Johannes Paul II.
Sehnsucht nach Glück
Ein spiritueller Weg
Band 5433
Als der Krieg drohte, beeindruckte die Menschlichkeit dieses Papstes weltweit. Seine zentralen spirituellen Texte über Jugend und Alter, über Liebe und Tod, über Mut und Glauben.

HERDER spektrum

Margot Käßmann
Was können wir hoffen – was können wir tun?
Antworten und Orientierung
Band 5385
Die Autorin macht klar, dass das richtiges Miteinander Grund zur Hoffnung ist.

Franz-Xaver Kaufmann
Wie überlebt das Christentum?
Band 4830
Spiritualität: vielleicht – Christentum: nein danke! In welcher Gestalt und unter welchen Voraussetzungen hat Christentum Zukunft?

Paul Kirchhof
Der Staat – eine Erneuerungsaufgabe
Band 5555
Terrorismus, ökologische Gefährdungen, internationale Finanzströme: Der bekannte Jurist plädiert für grundlegende Reformen – Antworten auf Zukunftsfragen, die jeden direkt angehen.

Hans Küng
Wozu Weltethos?
Religion und Ethik in Zeiten der Globalisierung.
Band 5227
In Zeiten konfliktträchtiger Krisen brauchen wir ein verbindliches Ethos. Konkrete Ideen für die Zukunft der Religionen und der Menschheit.

Karl Lehmann
Mut zum Umdenken
Klare Positionen in schwieriger Zeit
Band 5255
Gesprächs- und dialogbereit wirbt Karl Lehmann für einen Wertekonsens. Eine Stimme der Orientierung – unverwechselbar, kräftig und vernehmbar.

Karl Lehmann
Es ist Zeit, an Gott zu denken
Hrsg. von Jürgen Hoeren
Band 5054
Jürgen Hoeren stellt im Gespräch hartnäckig die Frage nach dem archimedischen Punkt des Christseins.

HERDER spektrum

Karl Lehmann
Katholische Weltanschauung
Integration und Unterscheidung
Band 5587
In seinen aufsehenerregenden Guardini-Vorlesungen an der Berliner Humboldt-Universität bestimmt Lehmann das ursprünglich Katholische in unserer Zeit. Eine faszinierende Standortbestimmung.

Hans Maier
Das Doppelgesicht des Religiösen
Religion – Gewalt – Politik
Band 5468
Hans Maier fordert die klassische Unterscheidung zwischen Religion und Politik.

Dieter Oberndörfer
Deutschland in der Abseitsfalle
Politische Kultur in Zeiten der Globalisierung
Band 5551
Der scharfe Zeit-Analytiker Oberndörfer weist nach: Zukunft kann nur gelingen, wenn wir eine offene politische Kultur entwickeln.

Johannes Rau
Dialog der Kulturen – Kultur des Dialogs
Toleranz statt Beliebigkeit
Band 5332
Was hält eine Gesellschaft zusammen? Verschiedenheit achten, Gemeinsamkeiten stärken – darum geht es. Reden zu einem zentralen Zukunftsthema.

Wolfgang Reinhard
Glaube und Macht
Kirche und Politik im Zeitalter der Konfessionalisierung
Band 5458
Reinhard entwirrt die Interessen, unterscheidet reformatorischen Eifer, katholischen Dogmatismus und politische Machtinteressen – und schlägt den Bogen zur konfessionellen Kultur der Gegenwart.

HERDER spektrum